U0119974

中國美術全集

中國美術全集

殿堂壁畫一

全國百佳圖书出版單位

ARTTIME 時代出版

時代出版傳媒股份有限公司
黄　山　書　社

☆ **國家出版基金項目**

圖書在版編目（CIP）數據

中國美術全集・殿堂壁畫/金維諾總主編；金維諾卷主編.—合肥：黄山書社，2009.12

ISBN 978-7-5461-0809-4

I.①中… II.①金… III.①美術—作品綜合集—中國—古代②壁畫—美術考古—中國—圖集 IV. ①J121 ②K879.412

中國版本圖書館CIP數據核字（2009）第179437號

中國美術全集・殿堂壁畫

總 主 編：金維諾	卷 主 編：金維諾	責任印製：李曉明
責任編輯：趙國華	封面設計：蠹魚閣	責任校對：李　婷

出版發行：時代出版傳媒股份有限公司(http://www.press-mart.com)
黄山書社(http://www.hsbook.cn)
(合肥市翡翠路1118號出版傳媒廣場7層　郵編：230071　電話：3533762)

經　　銷：新華書店

印　　刷：北京雅昌彩色印刷有限公司

開本：889×1194　1/16　　印張：35.125　　字數：107千字　　圖片：788幅

版次：2010年8月第1版　　印次：2010年8月第1次印刷

書 號：ISBN 978-7-5461-0809-4　　定價：1200圓（全二册）

《中國美術全集》編纂委員會

《中國美術全集》出版編輯委員會

凡　例

一、編　排

1.本書所選作品範圍爲中國人創作的、反映中國文化的美術品，也收録了少量外國人創作的，在中外文化交流史上具有代表性的美術品，如唐代外來金銀器、清代傳教士郎世寧的繪畫作品等。

2.根據美術品的表現形式和質地，共分爲二十餘類，合爲卷軸畫、殿堂壁畫、墓室壁畫、石窟寺壁畫、畫像石畫像磚、年畫、岩畫版畫、竹木骨牙角雕珐琅器、石窟寺雕塑、宗教雕塑、墓葬及其他雕塑、書法、篆刻、青銅器、陶瓷器、漆器家具、玉器、金銀器玻璃器、紡織品、建築等二十卷，五十册。另有總目録一册。

3.各卷前均有綜述性的序言，使讀者對相應類别美術品的起源、發展、鼎盛和衰落過程有一個較爲全面、宏觀的瞭解。

4.作品按時代先後排列。卷軸畫、書法和篆刻卷中的署名作品，按作者生年先後排列，佚名的一律置于同時期署名作品之後。摹本所放位置隨原作時間。

5.一些作品可以歸屬不同的分類，需要根據其特點、規模等情況有所取捨和側重，一般不重複收録。如雕塑卷中不收録玉器、金銀器、瓷器。當然，青銅器、陶器中有少數作品，歷來被視爲古代雕塑中的精品（如青銅器中的象尊、陶器中的人形罐等），則酌予兼收。

6.爲便于讀者瞭解大型美術品的全貌，墓室壁畫、紡織品等類别中部分作品增加了反映全貌或局部的示意圖。

二、時間問題

7.所選美術品的時間跨度爲新石器時代至公元1911年清王朝滅亡（建築類適當下延）。

8.遼、北宋、西夏、金、南宋等幾個政權的存在時間有相互重叠的情況，排列順序依各政權建國時間的先後。

9.新疆、西藏、雲南等邊疆地區的美術品，不能確知所屬王朝的（如新疆早期石窟寺），以公元紀年表示，可以確知其所屬王朝（如麴氏高昌、回鶻高昌、南詔國、大理國、高句麗、渤海國等）的，則將其列入相應的時間段中。

10.對于存在時間很短的過渡性政權，如新莽、南明、太平天國等，其間産生的作品亦列入相應的時間段中，政權名作爲作品時間注明。

11.某些政權（如先周、蒙古汗國、後金等）建國前的本民族作品，則按時間先後置于所立國作品序列中，如蒙古汗國的美術品放在元朝。

三、圖版説明

12.文字采用規範的繁體字。

13.對所選美術作品一般衹作客觀性的介紹，不作主觀性較强的評述。

14.所介紹内容包括所屬年代、外觀尺寸、形制特徵、内容簡介、現藏地等項，出土的作品儘量注明出土地點。由于資料缺乏或難以考索，部分作品的上述各項無法全部注明，則暫付闕如，以待知者。

四、目録及附録

15.爲了方便讀者查閲，目録與索引合并排印，在每一行中依次提供頁碼、作品名稱、所屬時間、出土發現地/作者、現藏地等信息。

16.爲體現美術作品發展的時空概念，每卷附有時代年表，個别卷附有分布圖，如石窟寺分布圖、墓室壁畫分布圖等。

五、其　他

17.古代地名一般附注對應的當代地名。當代地名的録入，以中華人民共和國國務院批準的2008年底全國縣級以上行政區劃爲依據。

18.古代作者生卒年、籍貫、履歷等情況，或有不同的説法，本書擇善而從，不作考辨。

中國美術全集總目

總目録
卷軸畫
石窟寺壁畫
殿堂壁畫
墓室壁畫
岩畫 版畫
年畫
畫像石　畫像磚
書法
篆刻
石窟寺雕塑
宗教雕塑
墓葬及其他雕塑
青銅器
陶瓷器
玉器
漆器　家具
金銀器　玻璃器
竹木骨牙角雕　琺琅器
紡織品
建築

中國古代殿堂壁畫概論

原始社會，隨着人類生活的發展，在製作生産工具和生活用品的同時，也已創作反映人類生活以及狩獵對象的摩岩石刻與洞窟壁畫。中國由于人口的繁衍，大部地區經過不斷開發，早期地上遺物已經很少遺存，因此没有發現原始社會的洞窟壁畫。但原始宗教以及祭祀活動中已開始利用壁畫作爲裝飾。在屬于五千年前遼西紅山文化的牛河梁女神廟中，就曾發現有壁畫殘塊①。這些殘塊上有赭紅色勾連紋，赭紅間黄白色交錯的三角紋等幾何形紋飾。在甘肅秦安大地灣也曾發現仰韶文化晚期的地畫②。這些圖畫與青海大通出土的彩陶盆上的舞蹈紋③和少數民族地區原始社會岩畫上的狩獵紋，都從不同角度反映了原始氏族社會的生活習俗、宗教信仰等方面的情况。并且，可從中了解到原始社會對繪畫的運用。

進入奴隷社會，壁畫被利用來裝飾宫殿，作爲觀賞玩樂和宣揚禮制的手段。春秋戰國之際的學者墨翟在回答禽滑厘怎樣使用錦綉等工藝美術品的時候，就曾説到商紂時“宫墻文畫”④。這是有關宫廷壁畫的最早記載。周代祭祀與會見諸侯的明堂也繪製有大型壁畫，當時，奴隷主掌握了祭祀天地、祖宗的權利，也就掌握着政權。郊社等祭祀之禮，是政權、族權、神權緊密結合在一起的奴隷主專政的重要禮制。因此，用于祭祀明堂裏的壁畫是直接爲維護政權服務的。春秋時，孔子在周王室祭祀的明堂，“睹四門牖，有堯舜之容、桀紂之象，而各有善惡之狀、興廢之誡焉。又有周公相成王，抱之負斧扆，南面以朝諸侯之圖焉”（引自《孔子家語》）。孔子對在明堂繪製宣揚周公功德、記録國家興亡教訓的圖畫，極爲欣賞，他不僅感懷奴隷制盛期的“周公之治”，也贊賞西周善于利用壁畫等美術形式來宣揚禮制，他感慨地説“此周之所以盛也”。

戰國時期，楚先王廟也圖繪天地、山川、神靈及古賢聖。偉大詩人屈原見到壁畫，他在有名的詩篇《天問》裏對那些宣揚奴隷主觀念的圖像，提出了一系列的懷疑。漢代王逸在《楚辭章句》裏爲《天問》所作的序言上説：“屈原放逐，憂心愁悴，彷徨山澤，經歷陵陸，……見楚有先王之廟及公卿祠堂，圖畫天地、山川、神靈……及古賢聖、怪物行事。周流罷倦，休息其下，仰見圖畫，因書其壁。呵而問之，以渫憤懣，舒瀉愁思。”《天問》中所提到的“天地、山川、神靈”、“及古賢聖、怪物行事”確是當時和以後繪畫上經常出現的形象。在戰國漆畫和漢畫像磚石中還可見到這些天地、山川、神靈、古聖賢等圖像，以及相關的裝飾紋樣，這些繪畫中的傳統題材，一直影響到秦漢殿堂壁畫的表現與發展。

秦代以前，文獻記載中所談到的宫室壁畫，由于年代久遠以及戰争和政治的變革，早已蕩然無存。近年先後在陝西咸陽秦代咸陽宫遺址發現了壁畫殘片，這些壁畫有圖案紋飾，也有臺榭建築、人物車騎。秦咸陽宫三號宫殿遺址，曾發現七套車馬壁畫，其中一組作四馬單轅車，車有大小二窗，馬作奔馳狀。侍立人物着褐色袍，大袖長裙，衣裾外揚。畫雖漫漶，却爲現存最早的宫殿壁畫遺存。儘管衹是少量的壁畫片斷，但是聯繫西安等地出土的秦石刻畫像以及銅鏡上的車騎人物，已能較具體地了解秦代壁畫藝術的成就。

漢晋六朝殿堂壁畫

漢高祖劉邦利用農民起義的成果，建立了西漢王朝，在蕭何等人的建議下，一開始就注意到利用建築、美術等來樹立和宣揚漢王朝的威信。《史記》記載："蕭丞相營作未央宫，立東闕、北闕、前殿、武殿、太倉。高祖還，見宫闕壯甚，怒，謂蕭何曰：'天下匈匈，苦戰數歲，成敗未可知，是何治宫室過度也。'蕭何曰：'天下方未定，故可因遂就宫室，且夫天子以四海爲家，非壯麗無以重威，且無令後世有以加也。'高祖乃説（悦）。"蕭何所説"非壯麗無以重威"，也正是"上者不美、不飾，不足以一民"思想的體現。

漢武帝劉徹在鞏固政權，發展社會經濟的同時，也利用美術來紀念建立了功勛的將帥功臣。在驃騎將軍霍去病墓前樹立大型紀念碑雕刻，在未央宫麒麟閣圖繪建國以來的功臣。唐代張彦遠在《歷代名畫記》中記載有漢武帝麒麟閣功臣圖的粉本。漢武帝在甘泉宫也曾圖繪他所欽佩或懷念的人物畫像，如休屠王閼氏和孝武李夫人像。漢武帝晚年，不得不依賴霍光來輔助他年幼的兒子繼承帝位時，召畫工在甘泉宫畫"周公負成王"，以表達托孤于霍光的意願⑤。雖是圖繪的歷史故事，實際上是用繪畫肯定霍光政治上的地位，并對之表示充分信任。當時利用"三綱五常"、"君權神授"等一套思想維護封建統治，也圖繪"古聖賢"、"古列士"、"瑞應"之類題材，來宣揚這種思想。如《漢書・外戚傳》也記載班婕妤説："觀古圖畫，賢聖之君，皆有名臣在側；三代末主，乃有嬖女。"而這類"古聖賢"、"瑞應圖"、"古列士、列女圖"，在遺存的漢代壁畫中大量存在。從這些遺物，我們可以了解到這一時期繪畫所達到的水平。

漢代初年，奬勵耕戰，認爲"雕文刻鏤，傷農事者也。錦綉纂組，害女紅者也"，因此對于宫室建築等都有一定的限制，如諸侯之墻不得施丹青之彩等。但是，隨着分封割據局面出現，諸侯王仍然大肆營建宫室。如魯恭王劉餘"好治宫室、苑囿、狗馬"，造靈光殿時，圖畫天地、山海、神靈于壁⑥。

東漢反映現實、歌頌武功、獎勵耕戰的圖畫，在宮廷以至州郡都有所發展。唐張彦遠記載："漢明帝雅好畫圖，别立畫官，詔博洽之士班固、賈逵輩，取諸經史事，令尚方畫工圖畫，謂之畫贊。"漢明帝劉莊又在永平年間（公元58－67年）"追感前世功臣"，畫鄧禹、馬成等建武時期的二十八將于南宫雲臺。漢靈帝劉宏也沿襲這種風氣，詔（蔡）邕畫赤泉侯五代將相于省，"兼命爲贊及書"。

東漢時州郡也利用壁畫圖繪歷代地方官吏的圖像、事迹，以示鑒戒。如應劭在《漢官》中記載："郡守廳事壁，諸尹畫贊，肇自建武，迄于陽嘉。注其清濁進退，所謂不隱過，不虚譽，甚得述事之實。後人是瞻，足以勸懼。"州郡圖繪地方官吏的事迹，顯然是與推行郡縣制，維護中央集權的政治措施相配合的，是東漢建武以後，在全國推行的文化措施之一。

東漢末年，壁畫的運用範圍就更加廣泛。不僅利用來表彰官吏以及各方面的人物，而且光和元年，漢靈帝劉宏在太學以外，另立鴻都門學，提倡辭賦、小説、繪畫、書法等。除了畫孔丘及七十二弟子以外，還"爲鴻都文學樂松、江覽等三十二人圖像立贊，以勸學者"⑦。

西漢末年，已有佛教信徒隨從西域使節和商人來中原，并開始傳授佛經⑧。到東漢初年，統治者中已有人信奉佛教并建立寺院。佛教傳入之初，被視爲神仙方術的一種，與黄老相并列⑨。有的還直接利用原有殿堂陳列佛像，而形成禮拜的場所。這就使中國式宫殿建築與佛圖（塔）、佛教造像密切結合起來，形成了中國特有的寺院形式。

皇室正式建立和祭祀老子廟可能始于漢桓帝，在祭祀黄老的同時，也祭祀佛陀。《後漢書・桓帝紀》稱："前史稱桓帝好音樂、善琴笙。飾芳林而考濯龍之宫，設華蓋以祠浮圖、老子。"《歷代三寶記》卷四説："孝桓帝世又以金銀作佛形像。"當時洛陽已成爲漢地翻譯佛經的中心，洛陽不但有佛寺，而且佛事已頗興盛。在許昌、襄鄉、倉垣等地亦有寺院或浮圖⑩。東漢末年，丹陽人笮融在徐州、廣陵間大力興建佛寺。《三國志・吴志・劉繇傳》記載：笮融"乃大起浮圖祠，以銅爲人，黄金塗身，衣以錦采。垂銅盤九重，下爲重樓，閣道可容三千餘人。"寺院規模之宏偉輝煌可想見。

在新疆地區，早期佛教寺院在建築形式與造像樣式方面，都不同程度地受到犍陀羅藝術的影響。在若羌縣的米蘭一帶，曾發現數處古寺遺址。其中有壁畫的一座方形寺院中⑪，内有圓形刹心，四周爲環形通道，通道内壁繪有翼天人。在入口相對的環形壁面，北壁與東南壁繪有相連的寬幅花鏈飾帶，飾帶上下有各種形態的青年男女。有戴冠的王子、有持瓶的婦女、有彈三弦琴的少女、有黑髮的青年與健壯的武士。環形壁面的上部，畫的是須大拿太子故事。根據同時出土的文物以及繪畫風格推測，此寺壁畫約繪于公元300年前後。壁畫故事情節都被連續細緻地描繪出來。人物、車騎、象馬、樹木表現得生動感人，反映了當時畫家的高超技藝。

離上述遺址約18米處，有另一座寺院，也是外方内圓的建築。入口内壁殘留有翼天人像七身。東南墻上畫釋迦牟尼像，佛左側有弟子六人，第一身手持麈尾，此似佛傳故事的一部分。一殘片上，表現摩耶夫人感夢，王召相師占其所夢。兩寺壁畫風格相同，應是同時期作品。若羌縣在漢代屬鄯善地區，鄯善在公元3至4世紀時，佛教已盛行。高僧法顯于後秦弘始元年（公元399年）行經鄯善時，該國約八千餘家，而崇信佛法的沙門多達四千餘人，均習小乘。從殘留的壁畫，我們仍可以想見當時佛寺莊嚴妙好的盛况。

于闐也盛行佛教，并和内地有着密切的交往⑫。當地發現的一些佛教藝術遺物，很能説明佛教藝術發展的某些規律以及于闐與内地的血肉聯繫。

在于闐達德力城（今新疆和田縣丹丹烏里克）遺址，曾發現寺院壁畫。寺院已殘毁。殘存泥塑北方天王像（毗沙門天）脚下的地神，扭首俯身，仍極生動。壁上畫有二梵僧，在梵僧左側，天王塑像旁，畫一天女從地涌出，立于蓮池中，旁邊有一小兒親切相依。這是于闐建國傳説被正式描繪進壁畫的遺例。《于闐國授記》、《大唐西域記》都曾記載了這一傳説：國王無子，向毗沙門天神像祈禱，神像額上剖出嬰孩，并于神前地上涌出“地乳”，哺育嬰兒，因此于闐國王自稱是毗沙門天的後代，并以“瞿薩旦那”（地乳）爲國號⑬。這一立國傳説被畫家加以表現，就更爲美化、人世化了。天王額上剖出嬰孩，地上涌出“地乳”，這衹是神話，而且“地乳”也幾乎是畫不出來的。但是，天才的藝術家用赤身露體的吉祥天女來表現“地乳”，她低首俯視着親切相依的嬰兒，羞怯地用纖巧的右手撫摸着乳房，明確而優美地表現了地上涌出“地乳”，哺育嬰兒的情節。吉祥天也是傳説中毗沙門天的妻子，這也使毗沙門天的後代自然地找到了母愛。

值得注意的是不僅建國傳説進入了寺院壁畫，而且蠶種絲織傳入于闐的傳説，也在繪畫上得到了表現。蠶種絲織傳入于闐的故事在寺院繪畫中出現，這和于闐建國傳説，鼠助瞿薩旦那抗匈奴傳説⑭作爲繪畫内容一樣，使寺院的宗教畫具有了歷史畫的性質。蠶種絲織傳入故事反映了内地與邊遠地區物質文化的交流，這一題材在民間被反復描繪，也説明了人民群衆對于民族間友好交往的珍視。特别值得注意的是，畫中的婦女完全是中原服飾與面貌，這意味着繪畫不僅是在題材内容上反映了民族聯繫，而且推動這種聯繫進一步通過藝術上的交融，形成共同的時代風貌。

從鄯善的早期寺院壁畫到于闐遺存的繪畫作品，可以看出宗教藝術流傳的某些規律。佛教藝術是以佛教教義與經典爲依據的，它隨着弘法的需要，選擇有關的題材來表現。其中佛傳故事、本生故事和佛像，是被反復描繪的。因此常是相同的題材在各地一再出現，在流傳過程中，同一題材不能不受到原有樣式的影響。但是由于不同地區的藝術家，以自己所了解的生活與熟悉的技巧來表現，則逐漸又具有了不同的地方特色。鄯善遺存的壁畫是佛教開始傳入時的作品，受有一定的外來影響。而于闐壁畫則已具有了明顯的地方特色。于闐寺院的繪畫不僅在表現技巧和形式上不同于傳來的樣式，而且有了以本地的傳説和歷史題材作爲表現内容的作品，這就進一步突破了宗教題材與儀軌的限制，使佛教藝術更加本土化和市俗化，形成了獨具特色的本民族的寺院壁畫。

魏晋之際，寺院陸續有所興建。東魏楊衒之在《洛陽伽藍記》序言中説："至晋永嘉（公元307－313年），唯有寺四十二所。"南方建業一帶，自康僧會建立建初寺後，寺院亦有興建，造像壁畫也隨之有所發展。東晋咸和二年（公元327年），歷陽内史蘇峻作亂攻占建康（即建業），建初寺被焚毁；後修復，并繪製了康僧會的圖像。東吴著名畫家曹不興被認爲是最早的知名佛像畫家，他所畫佛像就是按照康僧會帶來的西國佛像畫儀範製作的。從這些材料可知，以建初寺爲中心的江南寺院已有壁畫的製作⑮。

到東晋時，修造佛寺的現象更爲普遍，唐法琳《辯正論》稱：東晋一百零四年，建一千七百六十八寺⑯，除木構寺院，還大量依山開鑿石窟。在這一時期，佛寺繪製壁畫也較普及，一些著名的畫家參加了寺院壁畫的製作。南北朝時期寺院壁畫創作達到一個新的高峰，并在壁畫中逐漸出現了具有中原特色的全新的經變樣式，這是無數杰出的匠師世代努力的結果。東晋衛協、顧愷之、戴逵父子，都是佛畫名家，而顧愷之、戴逵又是"思侔造化，運思精微，範金賦彩，動有楷模"的大師。其後，陸探微、袁倩、楊子華、曹仲達、張僧繇等名家相繼獻藝，藝術風格南北交融。經過長期積累以及其它一些無名匠師的共同努力，壁畫藝術不斷地有所創新。其中張僧繇、曹仲達更是具有杰出才能和深遠影響的畫家。

隋唐時期的殿堂壁畫

隋代，隨着國家統一，南北文化交融，藝術精英聚集，更進一步促進了南北藝術風格與經驗的交流。隋煬帝在洛陽營建顯仁宮、汾陽宮，自京師至江都置離宮四十餘所，壁畫藻繪盛極一時。壁畫呈現了名家競技、群師流芳的局面。展子虔、鄭法士一家（弟法輪、子德文）、孫尚子、董伯仁、楊契丹、田僧亮、李雅、尉遲跋質那等人在繪畫方面享有盛名。董伯仁和展子虔善畫車馬，而樓臺人物更是曠絶古今，可謂“雜畫巧贍”，“變化萬殊”。在隋文帝楊堅的倡導下，佛教復興，朝野競相修建佛寺。以後在皇室的大力扶植下，佛教得到進一步發展。展子虔曾在上都定水寺、崇聖寺、海覺寺、光明寺和東都龍興寺、天女寺作壁畫。唐代還流傳有他所作《法華變》的粉本。董伯仁畫的《彌勒變》也是具有開創意義的大型經變，其中運用他所擅長的樓臺人物，組成富有現實生活氣息的畫面，開啓了唐代《彌勒下生經變》的端緒。楊契丹、田僧亮、鄭法士同在京都光明寺小塔畫過壁畫，被稱爲“三絶”。

唐代仍然延續前代傳統，在宫殿圖繪功臣，褒崇勛德。閻立本就曾在凌烟閣畫功臣圖。閻立本是初唐杰出的人物畫家，武德九年（公元626年）受命畫《秦府十八學士》；貞觀十七年（公元643年），又應詔畫《凌烟閣功臣二十四人圖》。這些作品經過一再傳摹，得有粉本流傳。《凌烟閣功臣圖》由宋代游師雄摹刻上石，仍保存了部分唐畫的風貌，殘存的魏徵、秦叔寶、李勣等人的形象，也可窺見畫家在肖像畫方面的杰出水平。畫家已經注意到利用不同的面部特徵的描繪，來表現不同的人物，體現不同人物身份和性格。閻立本兄弟還曾根據李世民旨意，利用少數民族首領入朝的機會，描繪過《王會圖》和《職貢圖》。

唐代首都長安寺觀之多，爲全國之冠，繪塑名手雲集。初唐時期出現的大型經變畫宏偉瑰麗，雖然題材、樣式是繼承前代，但規模、技藝都大大超過了以往。唐玄宗李隆基崇儒道，也有限制地利用佛教。盛唐朝野建寺之風仍然興盛。富逾王侯的高力士，在豐庭坊造寶壽佛寺，在興寧坊造華封道觀。寶殿珍臺，侔于國力[17]。在傾國造寺的情况下，一時涌現的名家如吴道子、盧棱伽、楊庭光、韓幹、翟琰、張藏、李生、武静藏、陳静心、陳静眼、楊坦、楊仙喬、楊爽、張志、解倩、劉行臣、劉茂德、皇甫節、師奴、趙武端、劉阿祖、程遜、陳庶子、陸庭曜、張禮、蘇思忠、陳慶子、史小净、李果奴、杜景祥、王允之、釋思道、僧智瑰、金剛三藏等，或觸類皆能，或各有專長，在寺觀壁畫創作上争雄鬥智，出現了大量驚心動魄的巨製。

《東封圖》畫在東都洛陽的弘道觀，是吴道子的手筆。全圖表現了玄宗李隆基封泰山歸來，車駕過上黨金橋時的景象，表現了“勒兵三十萬，旌旗徑千里”的氣象[18]。道觀内描繪這一歷史題材，本身就是一個創舉。這一人物衆多，氣象萬千的長幅畫面的形成，又進一步被吴道子利用來表現《五聖千官圖》，從而取得了更爲輝煌的成果。《五聖千官圖》畫在洛陽城北邙山老君廟東西兩壁。《五聖千官圖》現在流傳有兩個粉本，一被稱爲《八十七神仙卷》（前缺一神將，當爲八十八），一傳爲武宗元《朝元仙仗圖》。兩圖都是畫于東壁的“東華天帝君”、“南極天帝君”、“扶桑大帝”的部分。這兩個世代流傳下來的粉本，都在一定程度上表現了唐代詩人杜甫在《冬日洛城北謁玄元皇帝廟》所咏嘆的氣氛，“畫手看前輩，吴生遠擅場。森羅移地軸，妙絶動宮墻。五聖聯龍衮，千官列雁行。冕旒俱秀發，旌旆盡飛揚”。全卷人物神態各不相同，旌幡、裙裾隨風飄動，在變化中呈現出統一的行進效果，在“滿壁風動”中仍給人以富有音樂韵律的安祥感。

唐代會昌五年（公元845年），全國共有大中寺院四千六百座，小廟宇（招提、蘭若）四萬所，僧尼二十六萬五百人，可見佛教在民間已有很大影響。當時的佛教勝境，首推五臺山。會昌五年唐武宗滅法，五臺山寺院被毁。大中十一年（公元857年）佛光寺重建。佛光寺東大殿是目前國内保存的幾座唐代木構建築之一，殿内還保存有唐代壁畫，遺存在殿内栱眼壁上和明間佛座背面。栱眼壁上有西方佛會一鋪。壁畫雖已變色，但菩薩端嚴，天衣飄舉，唐風猶存。佛座背面壁畫中的持劍天王孔武有力，身下二地神，鼓睛張臂，奮力掙扎，栩栩如生，龍、猴、鬼卒、天女亦各具神態，應爲匠師即興之作。

唐代中晚期，寺院俗講流行，這在一定程度上影響到寺觀壁畫的變革與發展。部分壁畫不是直接依據佛經，而是根據變文來描繪。變相與變文相結合，相互影響，相互豐富，使宗教畫和民間文學一樣，更具有群衆性和戲劇性。如晚唐更加豐富起來的《勞度叉鬥聖變》，就是其中的代表。

會昌滅法，以及唐末戰亂，使寺壁多毁。隨着藩鎮割據，壁畫名手星散各地，盛極一時的唐代中原宗教畫藝術，也因之流布各地。

隋唐在統一的局面下，社會各方面都有所發展。南北文化得到進一步的融合。漢魏文化傳統和兩晋以後活躍的學術思想，是藝術發展的深厚基礎，邊遠地區各民族豐富多彩的文化以及域外（印度、波斯等）文化的交流，孕育了更爲燦爛的藝術成就。唐代寺觀壁畫就是在這樣的前提下獲得了空前的發展。時代的需要，經濟的發展，加上無數藝術家的世代努力，使壁畫藝術出現了多種宏偉的構圖與樣式，塑造了豐富感人的形象與境界。隨着唐代政治影響的擴大，寺院壁畫藝術廣泛地傳播到鄰近的亞洲國家和地區，促進了世界文化的交流與發展。

五代、宋各民族寺觀壁畫

唐朝末年已經形成藩鎮割據的局面，五代十國是這種分裂局面的繼續。在黄河流域，梁、唐、晋、漢、周相繼代立，在長江流域，則有西蜀、南唐、吴越等國。除此之外，在西北尚有吐蕃、回鶻、西夏，北方契丹族也建立了遼，占據燕雲十六州。這些割據一方的政權，都有着自己的政治、經濟中心。其中較少受戰争破壞的西蜀、南唐、吴越，經濟較發達，出現了一些新的文化中心，特别是西蜀和南唐，還在翰林院專任善畫者爲待詔。

唐“安史之亂”後，中原等地不斷有畫家來成都，對西蜀繪畫傳統的形成，起過一定作用。當地所畫變相多依長安粉本，來避難的畫家如孫位、張南本、常粲和常重胤父子、滕昌佑、刁光胤、釋貫休、趙玄德等，和當地名家聚集，相互交流，大大促進了西蜀繪畫的發展。

大聖慈寺是成都最大的寺院，也是壁畫最集中的地方。李純《大聖慈寺畫記》稱：“舉天下之言唐畫者，莫如成都之多。就成都較之，莫如大聖慈寺之盛。……總九十六院，按閣殿塔廳堂房廊，無慮八千五百二十四間，畫諸佛如來一千二百一十五，菩薩一萬四百八十八，帝釋梵王六十八，羅漢祖僧一千七百八十五，天王明王大神將二百六十二，佛會、經驗、變相一百八十五。”還有大量非宗教性的題材，如帝王、貴族、官僚的肖像和山水、竹雀等。西蜀的寺觀壁畫大都延襲唐代傳統，但也出現了一些新的大型構圖。如後蜀明德年間，趙德玄、趙忠義父子所畫福慶禪院《東流傳變相》，共畫了十三堵。僧安在大聖慈寺三學院大廳後壁畫《明皇帝幸華清宫避暑圖》一堵，也是以現實人物爲中心的大型界畫。這反映出當時的寺觀壁畫增加了歷史現實題材。羅漢、天王圖像的增加，以及對人物形象的刻劃注重精神狀態的表現，也反映了壁畫藝術的某些變革。山水畫、花鳥畫的發展，更促使宗教壁畫擴展了揭示人們精神世界的領域。

南唐宫廷聚集了顧閎中、周文矩、董源等杰出的畫家。王齊翰、顧德謙、曹仲玄、陶守立都是宗教畫名手。曹仲玄少學吴裝，工佛道鬼神，凡命意揮毫，能奪吴生意思，名重一時。曹仲玄後又捨弃吴法，落筆細緻，傅寫明澤，自立一格，尤以傅彩超群，更爲南州士人器重，江左梵宇靈祠多其畫迹。陶守立也長于佛像鬼神，庭院殿閣、子女奴隸、車馬山水，靡不精妙。嘗在九華草堂墻壁上畫《山路早行圖》，在建康清凉寺浴堂門側畫海水。他曾畫有《十六羅漢圖》，爲李煜（李後主）所得，每當李煜生辰，則張挂于後苑金山水閣供養。

中原地區由于長期遭受戰亂，生産受到破壞，寺觀亦多毁損。後梁繼唐，畫事逐漸興起。張贇、胡翼、支仲元、王道求、左禮、張南、王偉、韓求、李祝、張圖、朱繇、跋异、王仁壽都是當時著名的宗教畫家。著名的山水畫家荆浩也曾于京師雙林院畫普陀洛伽山觀自在菩薩一壁。韓求、李祝曾在陝西龍興寺畫迴廊列壁二百多堵。兩人對手畫攝摩騰、竺法蘭傳經圖，大各八尺，三門神像數十身，皆高二丈，又畫九子母及羅叉變相，均極生動。畫家張圖善潑墨山水，不法今古，自成一體，擅長畫大像。他在洛陽廣愛寺畫折腰報事師，從以三鬼，跋异驚其神，不敢對畫，張圖遂又于東壁畫水神一座，直視西墻報事師，意思高遠，視之如生。張圖嘗畫《紫微朝會圖》，紫微天帝被衮執圭，五星七曜、七元四聖，左右執侍，十二宫神、二十八舍星，各居其次，乘雲來下，容色端敬，服章嚴謹。張圖作衣紋，不似吴帶當風，亦不似曹衣出水，用濃墨粗筆，如作草書，顫掣飛動，勢極豪放。至于顏面與手，及諸飾物儀章，則用細筆輕色，詳緩端慎，無一欹仄。

梁都汴州大相國寺在唐代就有名手壁畫，到五代時，王道求、王偉、王仁壽、僧德符等人又在此增繪了一些作品。從五代壁畫名目和吴家樣、周家樣的流行，可知中原仍延襲唐畫傳統，衹是畫手在風格手法方面有些新的探求。山西省平順縣大雲院始建于天福五年（公元940年），大殿仍爲原構。殿内東壁《維摩詰經變》，右爲維摩居士側倚帷幔之中，左爲文殊菩薩，身後菩薩、羅漢、天王、力士侍從，中央是香積菩薩、舍利佛和持花天女，上有天女、獅子座飛來。扇面墻東西兩側畫觀世音菩薩與大勢至菩薩。扇面墻的背面畫《西方净土變》，畫面殘損較甚，此爲内地僅存的五代寺觀壁畫，對于了解當時繪畫上的變革，具有重要價值。

北宋畫院既有中原名家，也有來自南唐、西蜀的著名畫家。乾德三年（公元965年）隨孟昶來汴梁的西蜀畫家有黄筌、黄居寀、黄惟亮、黄居實、趙元長、夏侯延佑、高文進、高懷寶、勾龍爽、王道真等人，開寶八年（公元975年）隨着李煜來汴梁的南唐畫家有董羽、巨然、繼肇、厲昭慶、蔡潤等人，畫院内的中原畫家有王靄、高益、趙光輔、李用及、李象坤、牟谷等人。他們都是擅長繪畫的名手。

宋代工商業雖都有一定發展，但立國三百一十九年，始終處于少數民族貴族統治勢力脅迫之下，每年要以大量金銀、錦帛獻給遼、金、西夏、回鶻各族統治者。宋王朝爲了維護其政權，也積極倡導佛道，大肆興建寺觀。宋太祖趙匡胤即位數日，即解除顯德毁法之令，使佛寺重興，銅像復出。宋太祖還于開寶六年（公元937年）下令修建大相國寺普滿塔，并將曹翰由江南載回的廬山東林寺五百羅漢鑄像賜給相國寺安置。宋代其餘諸帝均崇佛道，立寺設觀，史不絶書。北宋全國有佛寺四萬所。僅大相國寺就有八禪、二律、六十四院，龍興寺凡五百六十二區，資聖院凡七百二十區，普安禪院凡六百三十八區。類似這樣的大寺院，各地都有。寺觀林立，寺觀壁畫也隨之有所發展。大相國寺殿閣廊廡壁畫甚多，大都出自畫院畫家的手筆。大相國寺壁畫，技術高超，規模宏偉。

道教在宋代也有很大發展。從太宗趙匡義到徽宗趙佶，不斷興建道觀。在新修的上清太平宫、玉清昭應宫、景靈宫、五岳觀等，都有當時名手繪製的壁畫。

山西省高平縣開化寺大雄寶殿是宋代遺構，殿内還保存有宋代壁畫。在北壁上墻及石柱上有畫工題記："丙子六月十五日粉此西壁畫匠郭發記并照壁"、"丙子十月冬十五日下手措（稿）谷（孤）立觀音至十一月初六日描訖來春上彩畫匠郭發記”。“丙子”是宋哲宗紹聖三年（公元1096年），這是關于西壁壁畫製作的準確時間。東壁壁畫製作時間約略相同，局部曾經後人補繪。西壁經變三鋪，每鋪中爲佛説法，兩側是經文故事。東壁經變三鋪大部殘損。北壁西面《鹿女本生》亦爲西壁《報恩經變》的局部。經變中部的佛、菩薩、比丘、天龍八部等，描繪精麗端嚴，在唐代的傳統基礎上有所變革。佛前的善男信女均爲宋代裝束。全畫無論形象塑造，構圖布局，用筆傅彩都具有明顯的時代特色，是宋代寺院佛畫的精品，代表了這一時期宗教畫家所具有的杰出水平。宋代民間畫工描寫市俗景象的豐富、真切，是前代所不及的。

遼是北方契丹族建立的政權，文化上多受漢民族影響，對繪畫藝術十分重視。聖宗耶律隆緒能詩文、精射法、曉音律、好繪畫。東丹王耶律倍工遼漢文章、知音律、精醫藥、善畫本國人物風俗。世宗耶律阮（耶律倍長子）善丹青，尤精音樂。耶律題子善騎射，工畫人物，嘗畫宋將傷敗之狀以示宋人，時稱神妙。興宗耶律真善騎射、好儒術、通音律、精于丹青，嘗畫鵝雁、千角鹿贈宋朝。耶律褭履善寫真，蕭瀜好圖畫。遼皇室、貴族喜好丹青，朝野仿效，因此，殿堂、墓室每多畫圖。今遼墓出土的壁畫、卷軸每多精品。遼代翰林院待詔亦賜緋、紫，并詔作歷史畫和寺觀壁畫。開泰七年（公元1018年），“秋七月甲子，詔翰林待詔陳升寫《南征得勝圖》于上京五鸞殿”[19]。翰林待詔田承制曾在懿州寶嚴寺畫二十八宿[20]。著名畫家胡瓌、高益都是遼涿州人，均善番馬人物，在中原享有盛名。遼代重佛教，開國前，唐天復二年（公元902年）耶律阿保機始建開教寺，開國後，君王、后妃、王公、貴人無不崇信佛教。遼代佛寺規模很大，至今尚有留存，其中天津薊縣獨樂寺、遼寧省義縣奉國寺、山西省大同市華嚴寺等，還保存有遼代精美的造像，山西省應縣佛宫寺釋迦塔内也存有遼代的壁畫。近年在遼寧省瀋陽市遼代無垢净光舍利塔地宫内又發現了壁畫。這些作品對于了解遼代寺觀壁畫水平，具有重要價值。

山西省應縣佛宫寺釋迦塔建于遼清寧二年（公元1056年），爲八角形五級六層檐，是現存時代最早的大型木塔。塔内底層釋迦塑像四周繪坐佛六軀，各有脅侍菩薩，前後門道横披板上繪供養人，南北門道兩側畫四天王像。該塔壁畫用筆瀟灑，設色精麗。其中的四天王像金代補繪，但威嚴而不詭怪，勇猛而不激忿，面向左則軀體向右，臂前伸則腿屈，頸短頭大，甲堅帶揚，尚留有遼代壁畫的豪邁風韵。

回鶻助唐朝平定“安史之亂”後，移居天山南北，和内地朝廷保持和好關係。通過貿易在經濟上發生巨大變化，文化上也接受了中原的影響。唐廣德元年（公元763年）登里可汗帶四位摩尼僧由洛陽歸國，摩尼教開始傳入，其後代替薩滿教成爲回鶻國教。回鶻西遷，又接受了佛教的影響。太平興國六年（公元981年）王延德使高昌，見到國中有佛寺五十餘區，都是唐朝舊寺，居民春月多群聚游樂于其間。在高昌故城的寺院建築遺址，曾發現回鶻貴族的供養像和摩尼教徒群像。在一些石窟寺中也有回鶻時期的壁畫。柏孜克里克石窟是回鶻王室供奉的寺院，壁畫水平極高。

1979年在新疆吉木薩爾縣發現一座高昌回鶻佛教寺院遺址㉑。寺院壁畫供養人題名中有回鶻國主“神聖的亦都護之像”和“長史”、“公主”之像，説明該寺爲高昌回鶻王室的寺院，壁畫約爲10世紀的作品。

吐蕃與唐和親前後，佛教始傳入藏。西藏地區早期寺廟壁畫遺存較少，衹在敦煌猶可見到吐蕃占領時期遺留的壁畫，另外在西藏札達縣古格王國遺址内尚有相當于宋元時期的壁畫踪迹可尋。

西夏亦崇信佛法，石窟寺中遺留畫迹尚多。五代、宋時少數民族地區的寺觀規模不減中原，其中遺存的實物對于闡明中國各民族的藝術成就具有重大意義。

公元1115年完顏阿骨打滅遼稱帝，定國號爲“金”，在北方立國近一百二十年。金在秘書監下設書畫局，在少府監設有圖畫署，當時的著名畫家有王庭筠、武元直、楊邦基等人，金代貴族亦有能畫者。金代還修建了不少寺院，至今尚存的有繁峙岩山寺文殊殿和朔州崇福寺彌陀、觀音兩殿。崇福寺于皇統三年（公元1143年）重建，在彌陀殿尚存有壁畫。東西兩壁各畫三鋪説法圖，南壁西盡間畫千手千眼觀世音，東盡間畫三佛、三菩薩。岩山寺文殊殿東壁畫《鬼子母變相》，西壁畫《佛本行經變》，北壁畫本生故事，南壁畫殿閣、樓臺和供養人像。西壁南端上方有銘記，最後題：“大定七年前□□二十八日畫了靈岩院□□畫匠王逵年陸拾捌”。寺中現存正隆三年（公元1158年）碑，上稱王逵是“御前承應畫匠”，并有同畫人王道。由此證明岩山寺壁畫是在金大定七年（公元1167年），由宫廷畫師王逵等人完成的。這兩處金代壁畫，對于瞭解整個金代壁畫的内容與水平具有重要價值。金承襲宋、遼重視佛事的傳統，在寺觀藻繪上也沿襲舊制。崇福寺壁畫繪製精麗，儀軌不失，但面型、佩飾具有更多金代特色。

岩山寺文殊殿壁畫是别具一格的。東西二壁經變均作鳥瞰式全景構圖，打破了以往以佛説法爲中心的經變樣式，創造了以金碧界畫山水爲統一構圖的經變。佛經的故事圖像，不是零星分割的，而是統一組合在殿閣樓臺、山林苑囿、風景宜人的錦綉河山中。從整體看，是一幅金碧輝煌、氣勢宏偉的青緑山水，從局部看，則宫廷、市井内人事紛繁，山村、驛路上驢馬不絶。畫中店鋪窗口還挂有“野花攢地出，村酒透瓶香”的帘子，使金代城鎮的風土人情躍然壁上。畫家藉宗教題材再現了人間生活，繪經變表現了自然風光，這應該説是畫家王逵的杰出創造。

五代、宋、遼、金時期，各民族、各地區的畫師雖然都繼承了唐代豐富的繪畫遺産，但是由于他們具有不同的社會基礎和文化素養，加之當地藝術家們的生動創造，從而形成了各具特色的寺觀壁畫藝術，大大充實了中國宗教藝術的傳統。

元明清殿堂壁畫

宋元以後，卷軸畫空前發展，紀功表彰多利用卷軸或版畫，而壁畫仍流行于寺觀、神祠中。元、明、清各代均利用宗教，以維護其政權。元朝統治者熱衷修功德、作佛事，大肆興建寺宇，寺院達到四萬二千三百一十八區，僧尼二十一萬三千一百四十八人[22]。元代極力推重喇嘛教，促進了漢、蒙、藏民族間文化的交流，明以喇嘛爲國師，使領全國佛教，喇嘛教得以流布西藏、青海、雲南、蒙古和東北一帶。清朝懷柔各族，對喇嘛教亦加保護，密宗寺院發展較盛。元代道教亦有很大發展。元明以後，寺觀、神祠的興建與藻繪，極爲隆盛。在佛道相互影響，相互滲透的情况下，寺觀壁畫呈現了更爲繁複多樣的現象。民間畫工則利用不同的題材，創造了更富有民間氣息的形象與構圖。

西藏寺院壁畫保存較好的，除古格地區寺院和山南札塘寺外，要數日喀則夏魯寺和江孜白居寺。夏魯寺宋元祐二年（公元1087年）創建，公元1333年修復，是典型的藏漢綜合建築。寺院原由大殿和四大經學院及僧舍組成，現僅存有大殿。大殿坐西朝東，二層。底層主殿爲集會殿，中心經堂由三十六根柱子組成。原供有釋迦牟尼和八大弟子像。兩側各一配殿，供大藏經《甘珠爾》和《丹珠爾》。環繞大殿爲封閉式轉經迴廊，迴廊内壁繪七政寶、八吉祥圖，迴廊外壁滿繪佛傳故事和本生、因緣故事。夏魯寺一層配殿，門上方繪金剛界大曼荼羅。殿内繪有釋迦牟尼、杰・喜饒炯乃及五方佛等。佛與高僧形象都注意表現人物的内在氣質，佛莊嚴慈祥，高僧端嚴睿智，人物富有内涵，形神兼備。文殊化龍女成佛相最爲别致。龍女高髻花冠，形容端麗，二主臂當胸合十，另二手分持念珠和蓮枝。六字觀音高髻五花冠，結跏趺坐于獅子蓮座上，主臂合十，另二臂右手持念珠，左手持蓮花。馬頭明王三頭、六臂、四足，造型誇張，威猛可怖。各種形象都注意表達人物的内在氣質和外形的特徵。

一層迴廊繪有經變故事和祥瑞。迴廊外壁壁畫把佛本行故事和本生故事、因緣故事一道組成連環畫形式表現，描繪了更多的藏地風情。夏魯寺二層前殿迴廊用了巨幅畫面，表現須摩提女請佛故事。夏魯寺壁畫手法和構圖及其風格都不盡相同，反映出畫師的不同風貌。

白居寺位于年楚河畔江孜鎮，東、西、北三面環山，四周以夯土設城，于公元

1418年動工興建。公元1427年又在白居寺大殿西爲白塔（菩提塔）奠基動工，數年建成。塔高十三層，塔寺結合，風格獨特，建築精美。建築群以措欽大殿和白塔爲中心，分散布置十七個扎倉和馬林、榮康、甘登、凱居、巴久等佛殿，以及扎厦、僧居等建築。

措欽大殿三層，坐北朝南，居寺中心。底層中間爲佛堂，中有四十八根立柱，經堂中央有釋迦牟尼銅像。經堂之北，爲覺康正殿，供三世佛銅像，兩側爲十六應真塑像。經堂左右爲東、西净土殿。東净土殿供强巴佛、十一面千手千眼觀世音，殿四周爲壁畫。西净土殿供盧舍那佛，四壁爲菩薩、供養天人塑像。供養天人均作舞姿，體態優美。

大殿二層，有拉基大殿、朗齋夏殿、登覺殿等。登覺殿有立體壇城，二層殿中的十六應真塑像形態感人。大殿北部的夏耶拉康，殿高三層，四壁繪大小不等的五十五座壇城。

白居寺菩提塔内有七十七間佛殿、龕，包括佛、菩薩、度母、各派祖師、天王、金剛，以及吐蕃贊普的塑像，連同壁畫、唐卡裏的畫像，殿中雕繪之造像達十萬餘尊，故又稱十萬佛塔。白居寺二層迴廊佛傳圖，有表現摩耶夫人感夢受孕，左右宫女伺候的場景，人物的神情動態各不相同；有摩耶夫人在藍毗尼園手攀無憂樹，太子從右脅而出的場景；有表現釋迦牟尼成佛後，上兜率天爲其母親説法返回的場景，諸天神、僧衆迎接的喜慶感充滿畫面。壁畫構思精巧，造型優美。壁畫還有表現供養人和牧馬的場面，特别富有生活情趣。

壁畫有日光王本生和象護故事。象護出自《賢愚因緣經》，表現的是印度摩竭托國一長者，兒子出生之日，出現一金象，因取名爲象護。象護與金象一同長大，寸步不離。金象隨地大小便盡是黄金，王子阿闍世知之，有心掠奪。繼位後，便召象護入宫，遣人留象。象護離宫，金象遁地而出。象護懼王加害，乃出家。壁畫場面宏大，人物衆多。

在菩提塔登覺殿，形形色色的尊者在畫家筆下各具性格。大多高髻花冠，上身裸，手持法器，下着短裙，赤足。造型各异，或坐或立或斜卧，或駐足而立，或作疾走狀，或跳金剛舞，造型優美。菩提塔壁畫中的《净土變》表現得富有想象力，蓮池中的化生明麗多姿，如出水芙蕖。有的舞態婀娜，活潑矯健，有的閉目冥想，楚楚動人。

桑耶寺經過多次火灾，早期壁畫已毁。大殿迴廊壁畫爲明武宗正德元年（公元1506年）重繪。作品表現了藏族世俗活動，比武圖描繪了賽跑、賽馬、擊拳、摔跤、舉重等活動。人物情態各异，栩栩如生。落成開光大典壁畫，繪有慶祝活動中表演攀杆、倒立、氣功、攀索、馬技等場面，表演者的泰然自若，觀者的驚恐萬狀，刻畫得生動有致，隊列的僧徒也神態各异，饒有情趣。

甘丹寺、哲蚌寺、薩迦寺、拉卜楞寺、塔爾寺等各地寺院的密宗圖像，是藏區寺院中最盛行的題材。哲蚌寺壁畫中的一些以動物形象與人身組合的天王侍從像，動物神態誇張，在變形的面目中，既有獸的特徵，又具有人的性格，是富有創造性的生動作品。色拉寺的四大天王像是出自内地匠師的手筆，可以見到明顯的中原影響，但表現修建鐵索橋的傳奇性人物湯東杰布，富有個性，具有地方的特色。

現實的統治者和佛教大師的形象出現在宗教繪畫上，是藏畫富有特徵的傳統。保留下來的古格王、阿底峽、宗喀巴、八思巴等人的畫像或畫傳，都具有歷史畫的價值。

在青海黄南地區，10世紀後半期，藏傳佛教就開始流傳。瞿曇寺位于青海樂都城南深山中，背靠羅漢山，依山而建，座西朝東，分外院、前院、後院三部分。瞿曇寺是典型的漢地寺院樣式。中院建于洪武，形成于永樂。瞿曇殿善財童子五十三參，製作在洪武二十六年（公元1393年）。迴廊墻面把釋迦牟尼一生經歷，描繪在整幅青緑山水畫中，場面宏大，結構繁複。人物則形神各异，統一和諧。畫中樓臺亭榭，林木鳥獸，無不精妙。畫上的販夫、走卒、僧侶、將士，形形色色，各有情致。瞿曇殿東西側壁下方，分兩欄表現善財童子五十三參故事，采用工筆重彩手法，人物面部圓潤，下頜豐腴，衣紋簡潔流暢，没有雕飾。

妙因寺位于甘肅永登縣連城鎮，東北距瞿曇寺約60公里，建于明宣德初年。萬歲殿的《釋迦説法圖》與《佛本生故事》繪于宣德二年（公元1427年），是典型的明初藏漢風格。該寺清咸豐年間有大的整修，壁畫在整修中有改繪或重繪的。

感恩寺坐落于甘肅永登縣紅城子，俗稱大佛寺。弘治五年（公元1492年）始建，弘治七年（公元1494）竣工。清咸豐八年（公元1858年）有過重修。大雄寶殿天花板的木板畫保留了寺院初建時期的面貌，具有明代風格。菩薩殿壁畫爲明代原作，堆粉瀝金，精美華麗，畫面右下角有施主魯氏夫婦像。金剛殿西壁繪《觀音經變》，北壁繪《六道輪迴圖》。

塔爾寺大經堂前廊繪製的《普賢菩薩》、《八臂觀音》、《緑度母》、《三十五佛》、《釋迦牟尼》等壁畫，均爲18至19世紀吴屯下莊藝人先巴的作品。這些畫面，人物造型生動完美，菩薩體態婀娜，富有變化，設色單純沉着，綫條洗練簡潔。特别是緑度母，慈祥親善而又含蓄深沉。天衣飄帶也處理得輕盈飛逸，如隨風飄動，整個形象端嚴妙好，生動感人。這一時期畫風趨向華麗，注意裝飾效果，多用金，技巧純熟，筆法匀細，繼承早期傳統而有所發展。

山西省保存下來的元明清時期的寺觀壁畫，爲全國之冠。巨大的數量，豐富的題材，高度的藝術水平，呈現了寺觀壁畫的發展盛况。

山西省稷山縣興化寺和芮城縣永樂宫就是由山西民間畫家朱好古、張伯淵、張遵禮、田德新、李弘宜、王士彦和洛陽畫家馬君祥、馬七等所繪。永樂宫三清殿壁畫有着完整的構思和統一的設計。東壁中部爲太上昊天玉皇上帝和后土皇地祇，在他們前後的是山川、水府及地府諸神，在西壁中部是東華上相木公青童道君和白玉龜臺九靈太真金母元君，前後爲太乙神及雷公、八卦、電母諸神，壁兩側爲中宫紫微北極大帝、勾陳星宫天皇大帝及星辰諸神和天之四將，扇面墻的東西外側是南極長生大帝、東極青華太乙救苦天尊及三十二天帝。縱觀全殿壁畫，殿内所繪《朝元圖》，以八個主像爲中心，把衆多的形象組合在一起，既對稱又有變化，既嚴整又極生動，既複雜又統一。圖中形象衆多而不雷同，有類型化、理想化的特點，但却不失性格特徵和生動的表情。畫面動作與節奏的掌握，人物與人物間的關係，冠冕服飾與人物姿態的結合，都達到了微妙的境界。

經過唐、五代、宋的流傳，水陸畫形成完整的體系。山西稷山青龍寺位于縣西10里馬村，創建于唐龍朔二年（公元662年）。現存建築爲元、明、清重修，分前後兩院，大小殿宇八座。中殿（腰殿）和大殿的大部分壁畫幸存，大殿是元至正十一年（公元1351年）重建，腰殿（水陸殿）脊槫下木版書有“時大元國至元二年”（公元1336年）。從腰殿建築和壁畫風格以及相關紀年考察，全殿壁畫當最後完成于明代初年。壁畫繪天神地祇共約三百多身，皆安排在殿壁四周和扇面墻，組合統一，富有變化。東壁是《佛説法圖》，中畫釋迦像，兩側爲二弟子和文殊、普賢二菩薩，上方有迦陵頻伽，兩隅爲護法金剛、帝釋天衆、元君聖母、五方五帝、普天列曜星君、鬼子母、十二元神、四海龍王等；西壁是《彌勒經變》，中爲彌勒及二菩薩，兩隅爲梵王聖衆、玉仙聖母、五岳帝君、雷電風雨衆神、真武真君、苗藥林木諸神等。南壁西側繪四大明王、往古賢婦烈女等；西南隅爲侍者和供養人，下方兩側是王和王妃剃度。南壁東側繪四大明王、往古后妃文武等。北壁西側繪陰曹地府，東側畫六道輪迴。

寺觀《水陸法會圖》壁畫到明代普遍流行，雖然基本内容變化不大，而組合樣式則更加多樣，與卷軸水陸畫更趨接近。山西靈石資壽寺、繁峙公主寺、晋南定林寺和渾源永安寺正殿《水陸法會圖》最具有特點和代表性。

靈石資壽寺水陸殿建于明成化十八年（公元1482年），北壁（後壁）于諸塑像之間共繪明王像八身。東壁壁畫已毁，西壁部分雖浸蝕漫漶，尚得保存。壁面上部表現五佛，原與東壁合爲十方佛。中下部則彙聚着佛、道、儒三教以及民間信仰的衆多神祇。畫面上神衆立于雲端，排成三行，每組人物有榜題標明其身份，底端一行殘損。西壁尚存七幅水陸畫，均位于第二行。西壁北起，第一幅爲北斗七星神衆；第二幅爲十二元辰神等衆，十二元辰即十二地支之神，亦即子、丑、寅、卯、辰、巳、午、未、申、酉、戌、亥，一般用相應的動物形象（鼠、牛、虎、兔等）作爲標志，或繪于冠上，或捧在手中，此處未作細緻的區分，但繪十二身男性形象；第三幅爲九曜星君神等衆，九曜星君既有日、月以及金、木、水、火、土五星，還包括羅睺和計都；第四幅爲五瘟使者神衆，他們的顯著特徵是獸頭人身，這裏分別表現成虎頭、龍頭、鷄頭、兔頭和馬頭，馬頭的使者作武士裝扮，短衫束甲，手執紅纓槍；第五幅爲五湖四海百川諸大龍王衆，傳説江河湖海各種水系均由龍王掌管，圖中的衆龍王作帝王裝束，頭戴梁冠，身着廣袖長袍，手捧笏板；第六幅爲主火主水龍王等衆、係表現掌管水火的龍王，是清代修補；第七幅主風主雨主苗主稼病藥龍王，人物均戴冠着袍，捧笏而立。

公主寺在繁峙縣南20里公主村，大雄寶殿座北朝南，建于明弘治十六年（公元1503年），殿内後壁和東西兩面山墻上，繪《水陸法會圖》。壁畫分成九十多個組，旁有榜書和供養者題記。殿後壁（北壁）繪十大明王。

東壁中央繪主像南無盧舍那佛，佛結跏趺坐于束腰須彌座上；左側繪觀音菩薩、文殊菩薩；其後上層繪十八羅漢、十地菩薩、斗牛女虚危室壁、天龍八部、天藏菩薩、持地菩薩、完水當馬過江王、四值使者，中層繪金剛座神、日宫天子、四大天王衆、角亢氐房心尾箕、曠野大將軍、主苗主林主病主藥、三靈侯聖衆、五瘟使者、大藥叉神衆、護齋護戒護法之神、井鬼柳星張翼軫、奎婁胃卯畢觜參、雷電風伯衆、安降夫人陵肅山鎮江王衆、河漢淮濟龍王衆，下層繪大梵天主，帝釋天王，東方青、南方赤、中方黄帝衆，西方白帝，北方黑帝，東岳、南岳、中岳并從眷等，西岳北岳一切衆，四海龍王衆。

西壁中央繪主像南無阿彌陀佛，佛端坐于八角形束腰須彌座上，右側繪藥王和藥上菩薩，左側繪寶壇和彌勒菩薩；其後上層繪十住菩薩、十信菩薩、威德自在菩薩、訶利帝鬼子母、三司神衆、北斗星君衆、閻羅王天子衆、十八典獄衆，中層繪金剛座神衆、北極紫微大帝、十二相屬神祇衆、五通神衆、東斗三星衆、十二宫神衆、地官水官衆、天宫神祇衆，下層繪天猷副元帥、崇寧護國真君、山神土地衆、毗迦女衆、天蓬大帥玄天上帝、天妃聖母、后土聖母、九曜星君衆、清源妙道真君、城隍五道。

南壁上層繪往古陣亡一切衆、客死他鄉衆、饑荒殍餓歉嗽净衆、往古儒賢衆、往古優婆塞優婆夷衆、面然鬼王、大䑋臭毛噏臣口衆、赴刑繫膀衆、自刑自給胎前産后衆、獸咬火傷樹折岩存衆；中層繪往古僧道尼一切衆、往古忠臣衆、往古帝王龍子龍孫衆、引路王菩薩、大阿難尊者、往古妃后衆、往古貞列女衆、往古孝子賢孫衆；下層繪山水樹花一切衆、奏書九坎優兵全神上□大禍一切神衆、太歲火藥黄幡他竜日游一切神衆、大將軍豹尾蠶官白虎五鬼衆、喪門吊客忌力士畜官大耗小耗衆、往古忠臣列士衆。

公主寺壁畫形式組合頗有特色，形象刻畫細緻，表情栩栩如生，均爲明代佛教藝術的杰出作品。

渾源永安寺正殿名傳法正宗殿，佛壇上曾塑有三尊大佛，梁上曾有懸塑仕女像，但均已圮。殿内後壁和兩面山墻上繪《水陸法會圖》，氣勢宏偉，是明代壁畫中的佳品。壁畫在清康熙十五年（公元1676年）曾再補繪。

殿後壁（北壁）上層繪十大明王，東壁上層繪天藏王菩薩、無色界四聖天衆、色界禪天衆、大梵天王、欲界上四天主并諸天衆、帝釋天并諸天衆、東方持國天王衆、南方增長天王衆、西方廣目天王衆、北方多聞天王衆、北極紫微大帝、太乙諸神五方五帝、日光天子、月光天子、金星真君、水星真君、木星真君；中層繪紫金星君、月孛星君、天馬天鵝雙女獅巨蝎宫神、陰陽金牛白羊雙魚寶瓶摩羯宫神、寅卯辰巳午未元辰衆、申酉戌亥子丑元辰、角亢氐房心尾箕、斗牛女虚危室壁、奎婁胃昴畢觜參星君、井鬼柳星張翼軫星君、北斗七元星君、普天烈曜一切星君、天地水三官衆、天蓬天猷翊聖玄武真君衆、六曹府君衆、天曹拿禄算判官；下層繪羅刹女衆、曠野大將軍、般支迦大將、矩畔拏衆、訶利帝母衆、大藥叉衆、大勝引路王菩薩、往古帝王一切王子、往古妃后宫嬪婇女衆、往古文武官僚、往古爲國亡軀一切將士衆、往古比丘衆、往古比丘尼衆、往古優婆塞衆、往古優婆夷衆、往古道士衆、往古女冠衆。

南壁東側上層繪天皇星君、土皇真君、羅睺星君、計都星君；中層繪年月日時四值使者、大威德菩薩、阿修羅衆、大羅刹衆；下層繪往古儒流賢士衆、往古孝子賢孫衆、往古賢婦烈女衆、往古九流百家衆。

西壁面積與東壁相同，亦分三層。西壁上層繪持地菩薩、后土聖母、東岳天齊仁聖帝、南岳司天昭聖帝、西岳金天順聖帝、北岳安天元聖帝、中岳中大崇聖帝、五湖百川諸龍王衆、東海龍王衆、南海龍王衆、北海龍王衆、天帝龍王衆、虚空藏菩薩、主風主雨主雷主電諸龍神衆；中層繪大將軍黄播白虎官五鬼衆、金神飛廉豹尾上朔日畜神衆、陰曹奏書歸忌九伏兵力衆、吊客喪門大耗小耗宅龍神衆、護國護民城隍廟社土地神祇衆、地藏王菩薩、秦廣大王、楚江大王、宋帝大王、五官大王、閻羅大王、變成大王、泰山大王、平等大王、都市大王、五道轉輪王；下層繪八寒地獄、八熱地獄、近邊地獄、啓教大士面然鬼王等衆、主病鬼王五瘟使者衆、大腹臭毛針噤叵口飲噉不净饑火熾燃衆、水陸空居倚草附水幽魂滯魄無主無依衆、枉濫無辜含冤抱恨諸鬼神衆、投崖赴火自刑自縊諸鬼神衆、赴刑都市幽死狴牢諸鬼神衆、兵戈蕩火水火漂焚諸鬼神衆、饑荒殍餓病疾纏綿諸鬼神衆、墻崩屋倒樹折崖摧諸鬼神衆。

南壁西側上層繪主苗主稼主病諸龍神衆、主齊護界諸龍神衆、順濟龍王、安濟夫人；中層繪地府六曹判官、地府三司判官、地府都市判官、地府五道將軍；下層繪墮胎産亡仇冤報恨諸鬼神衆、誤死鐵醫横遭毒藥諸鬼神衆、身殂道路客死他鄉諸鬼神衆、地獄餓鬼傍生道中一切有情衆。

北京市法海寺明代壁畫，完成于明正統八年（公元1443年），爲《帝釋梵天圖》，是由宫廷畫士官宛福清、王恕，畫士張平、王義、顧行、李原、潘福、徐福等十五人所繪。北壁東堵由西至東，爲梵天、持國天、增長天、大自在天、功德天、日天、摩利支天、地天、娑竭羅龍王和韋馱天。北壁西堵自東至西，爲帝釋、多聞天、廣目天、藥草樹林神、辯才天、月天、訶利帝母、散脂大將、焰摩羅王、密迹金剛。

《帝釋梵天圖》中形形色色的諸天被畫家巧妙地組織在一起。天神形象各不相同，這些具有不同身份、性格的人神，在同一行進活動中，呈現于生動而又統一的布局内。背屏上的觀世音、文殊、普賢三大士壁畫與諸天壁畫形成三角形對應關係，三大士端坐于中部，諸天如從兩厢相對姗姗而來，静坐的菩薩與行進的天神，既協調又富于變化。

河北省石家莊市毗盧寺後殿有明代繪製的水陸會壁畫一堂。諸神上下交錯分成三層，共畫有五百多不同的形象。北壁繪有以梵天、帝釋天爲中心的諸天神王共一百二十多身，東壁繪有南極長生大帝、扶桑大帝、東岳、中岳、南岳、四海龍王、五方諸神、地藏、十王、鬼子母等共一百三十多身，西壁繪有北極紫微大帝，西岳、北岳、四海、五湖諸神，雷電、山水、花木神等共一百四十多身，南壁兩鋪繪有引路王菩薩、城隍土地、古帝王后妃、賢婦烈女、九流百家等共一百四十多身。全圖保存基本完整，又都具有榜題。毗盧寺壁畫是圖像豐富，構圖宏偉，具有重要數據價值和藝術價值的作品，也是研究水陸畫内容和藝術的重要依據。

元、明、清時期，戲曲等民間文藝得到發展。由于寺觀既是宗教場所，也是市集和文化交流之地，這就促進了其中的壁畫與其它民間藝術的結合。在山西洪洞縣廣勝寺水神廟壁畫中就直接表現了“大行散樂忠都秀在此作場”的表演場面，體現了兩種藝術的結合。水神廟明應王殿壁畫是民間畫師趙國祥、王彦達等人在泰定元年（公元1324年）繪製的。壁畫主要表現祈雨和降雨以及明應王的宫廷生活，敕建興唐寺等。畫家既表現了巨大的社會活動場面，也表現了打球、下棋、賣魚、梳妝等市俗生活。

民間文藝對于繪畫藝術的影響，不衹是表現在直接繪製戲曲場面和人物上，更爲重要的是表現在對繪畫題材的選擇、情節的處理、形象的塑造上。特别是一些描繪歷史傳説或神話人物的神祠，更爲畫家提供了廣泛吸取民間藝術營養，進而從事創造的天地。治水的大禹、教民稼穡的后稷、調馴禽獸的伯益，這些受人崇敬的傳説人物被表現在畫面上。神話傳説、歷史故事與現實生活被組合在一起。宫廷、集鎮、鄉村、田莊、山野的各種人間世態都有所表現。流傳于民間的口頭文學與具有宗教神話色彩的視覺形象結合起來，使神祠成了民間的畫廊。河北省曲陽縣北岳廟、陜西省耀縣藥王山南庵四帝殿的元代壁畫如此，山西省汾陽縣聖母廟、新絳縣稷益廟的明代壁畫也如此。畫家通過具體的視覺形象，來表現那些膾炙人口的民間傳説或歷史故事，從而使神的威儀，神的業績，神的恩澤，都成了人世間的可感覺的現實。

《三國演義》、《西游記》這些文學名著的故事情節在神祠寺觀的壁畫内得到了表現。少數民族地區流傳的英雄故事、歷史傳説也成爲寺院壁畫的題材。文成公主故事出現在布達拉宫壁畫上，也出現在藏族戲劇中。爲蒙漢民族團結作出貢獻的阿拉坦汗夫人三娘子也在内蒙古自治區土默特右旗美岱召壁畫中出現。現實人物成爲宗教壁畫的主題，使宗教壁畫在一定的社會條件下，起到了歷史畫廊的作用。如西藏拉薩市大昭寺的《固始汗與第巴・桑吉嘉措》、《歡慶圖》，布達拉宫的《五世達賴覲見順治皇帝》等畫，其政治意義遠遠超過了宗教範圍，實際成爲歌頌祖國統一和民族團結的歷史圖畫。

太平天國期間，其占領區域内也曾出現壁畫，是爲晚期殿堂壁畫中具有特殊意義的新鮮事物，雖然没有人物故事情節，而清新的畫面仍富有革命氣息。

殿堂壁畫是歷史的産物，是封建社會和宗教宣傳品。由于這些美術作品直接以群衆爲宣傳對象，又大多産生于民間畫家之手，因而許多壁畫又是畫家以來自生活的藝術形象解釋歷史和宗教的産物。孕育在美術中的現實因素，往往使杰出的壁畫作品具有不朽的價值，給人們以歷史的認識與美的感受。某些宗教藝術在宣傳宗教信仰的同時，有可能用藝術形象不同程度地反映現實生活的某些側面，甚至在客觀上揭示人民痛苦與産生痛苦的某些社會原因。它們所産生的社會效果，則仍是統治者所未能預料到的。

壁畫藝術家大多是來自民間的匠師，他們從事藝術創作既是爲了謀生，也是精神寄托。迫于生活的煎熬，他們必須遵從統治者的願望，但發自内心的藝術激情，又使他們有表達自己意念的欲求。因此，民間藝術家把基于生活的想象力和創造力用于宗教藝術品的創作中，從而使他們的作品有可能在一定程度上反映人民群衆的感情與願望。除在各類形象中表現人民的情感外，民間畫家還善于選擇社會中一些富有生活情趣，具有詩意或戲劇性的場面來加以表現。在許多民間畫師的筆下，神話被人世化，歷史被現實化，從而使殿堂壁畫所反映的内容更加接近人們的世俗生活。

中國古代殿堂壁畫在長期的發展過程中，通過各地區的藝術交流，師資傳授，在技術經驗、創作方法、表現手段等方面，取得了豐富的成果，綜合形成了優秀而深厚的傳統。壁畫造型的優美生動、構圖的宏偉壯麗、綫條的虚實變化、色彩的豐富明快，爲今天的壁畫創作積纍了豐富的經驗。特别是各種類型人物的形象與表情、姿勢與動態，表現得極爲豐富生動。這無疑是世代藝術家們生活感受與聰明才智的集中體現，是千百年來畫家技藝與心靈的創造。中國古代殿堂壁畫爲當代造型藝術的發展提供了良好的借鑒，成爲人們取之不盡的藝術資源。

金维诺

注釋：

①《遼寧牛河梁紅山文化“女神廟”與積石冢群發掘簡報》，《文物》1986年第8期。

②《大地灣遺址仰韶晚期地畫的發現》，《文物》1986年第2期。《秦安大地灣遺址仰韶晚期地畫研究》，《考古》1986年第11期。

③《舞蹈紋陶盆與原始舞樂》，《文物》1987年第3期。

④ 見于劉向《説苑・反質篇》。

⑤《史記・外戚世家》、《漢書・霍光傳》均有記載。

⑥（漢）王延壽《魯靈光殿賦》。

⑦《後漢書・陽球傳》。

⑧ 如魏魚豢《魏略・西戎傳》中記載："昔漢哀帝元壽元年（公元前2年），博士弟子景廬受大月氏王使伊存口授浮屠經。"（見《三國志・魏志・東夷傳》注引）

⑨ 當時把佛教看作是神仙方術的一種，將佛陀依附于黃老進行祭祀。史載楚王劉英"晚年更喜黃老，學爲浮屠，齋戒祭祀"。永平八年（公元65年），楚王劉英奉送縑帛，以贖愆罪。漢明帝在詔書中説："楚王誦黃老之微言，尚浮屠之仁祠。潔齋三月，與神爲誓，何嫌何疑，當有悔吝，其還贖，以助伊蒲塞、桑門之盛饌。"漢桓帝還在宫中祭祀黃老，延熹九年（公元166年）七月，桓帝祀黃老于濯龍宫。（《後漢書・祭祀志》、《後漢書・孝桓帝紀》）

⑩ 據《般舟三昧經》稱："建安三年歲在戊子八月八日于許昌寺校定。"《水經注》卷二十三《汳水》："汳水又東徑梁國睢陽縣故城北，而東歷襄鄉塢南，……東一里，即襄鄉浮圖也。"《放光經記》："以太康三年遣弟子弗如檀（晋字法饒）送經胡本至洛陽，住三年復至許昌。二年後至陳留界倉垣水南寺。……至太安二年十一月十五日沙門竺法寂來至倉垣水北寺求經本。"

⑪《Scrindia》，Oxford Clarendon Press，1921。

⑫《佛國記》載法顯在弘治初年經于闐時寺院情况："其城西七八里，有僧伽藍名王新寺，作來八十年，經三王方成。可高二十五丈，雕文刻鏤，金銀覆上，衆寶合成。塔後作佛堂，莊嚴妙好。梁柱户扇窗牖皆以金薄。别作僧房，亦嚴麗飾，非言可盡。""此國豐樂，人民殷盛，盡皆奉法，以法樂相娱。衆僧乃數萬人，多大乘學，皆有衆食。彼國人民星居，家家門前皆起小塔，最小者可高二丈許。作四方僧房，供給客僧及餘所須。"從這些記載可以了解到于闐佛事的興盛和佛教藝術發展的某些情况。隋唐間于闐王族入質中原，其中就有杰出的畫家尉遲跋質那和尉遲乙僧父子。

⑬ 據《于闐國授記》，于闐王瞿薩旦那（意爲地乳）十九歲時建國，他即位時佛已涅槃二百三十四年。建國後一百六十五年，當國王尉遲勝即位五年時，佛法在于闐興起。約在公元76年，佛教已傳入該國。最初建立的贊摩寺在王城南十五里，而主持建寺塔的毗盧旃來自迦濕彌羅。于闐"俗重佛法，寺塔僧尼甚衆。王尤信向，每設齋日，必親自灑掃饋食焉"（《周書・于闐傳》）。《大唐西域記》卷十二瞿薩旦那條："其王遷都作邑，建國安人，功績已成，齒耋云暮，未有胤嗣。恐絶宗緒，乃往毗沙門天神所，祈禱請嗣。神像額上剖出嬰孩，拾以回駕，國人

稱慶。既不飲乳，恐其不壽，尋詣神祠，重請育養。神前之地忽然隆起，其狀如乳，神童飲吮，遂至成立。智勇光前，風教遐被。遂營神祠，宗先祖也。自兹已降，奕世相承，傳國君臨，不失其緒。故今神廟多諸珍寶，拜祠享祭，無替于時。地乳有所育，因爲國號。”在敦煌藏文卷子《于闐教法史》上，便直接寫有“北方天王和吉祥天女使土中流出奶汁喂養王子，因而取名爲地乳”。

⑭《大唐西域記》卷十二：“王城東南五六里，有麻射僧伽藍，此國先王妃所立也。昔者此國未知桑蠶，聞東國有也，命使以求。時東國君秘而不賜，嚴敕關防無令蠶種出也。瞿薩旦那王乃卑辭下禮求婚東國，國君有懷遠之志，遂允其請。瞿薩旦那王命使迎婦而誡曰，爾致辭東國君女，我國素無絲綿，桑蠶之種可以持來，自爲裳服。女聞其言，密求其種，以桑蠶之子置帽絮中，既至關防，主者遍索，唯王女帽不敢以檢。遂入瞿薩旦那國，止麻射伽藍故地，方備儀禮奉迎入宮，以桑蠶種留于此地。”這個通過聯姻傳入蠶種的動人故事，一再被描繪在木板畫和壁畫上，在龜兹的石窟寺壁畫中也有這一題材。

《大唐西域記》卷十二：“昔者匈奴率數十萬衆，寇掠邊城，至鼠墳側屯軍。時瞿薩旦那王率數萬兵，恐力不敵。……其夜瞿薩旦那王夢見大鼠曰：‘敬欲相助，願早治兵，旦日合戰，必當克勝。’瞿薩旦那王知有靈佑，遂整戎馬，申令將士未明而行，長驅掩襲。匈奴之聞也，莫不懼焉。方欲駕乘被鎧，而諸馬鞍、人服、弓弦、甲縺，凡厥帶繫，鼠皆嚙斷。兵寇既臨，面縛受戮。于是殺其將，虜其兵。匈奴震懾，以爲神靈所佑也。”

⑮《高僧傳・康僧會傳》。

⑯《弘明集》卷一《正誣論》。

⑰《舊唐書》卷一八四。

⑱《圖畫見聞志》卷五《金橋圖》。

⑲《遼史》卷十六《聖宗記》。

⑳《遼東行部志》。

㉑《新疆吉木薩爾高昌回鶻佛寺遺址》，《考古》1983年第7期。

㉒《續資治通鑒》卷一九七、《元史》卷一六。

目　　録

新石器時代至南北朝（公元前八〇〇〇年至公元五八九年）

隋唐五代十國（公元五八一年至公元九六〇年）

頁碼	名稱	時代	出土發現地	收藏地
13	蠶種西漸傳説圖	公元6–8世紀	新疆策勒縣丹丹烏里克遺址	英國倫敦大英博物館
13	天神	公元6–8世紀	新疆策勒縣丹丹烏里克遺址	英國倫敦大英博物館
14	紡織神	公元6–8世紀	新疆策勒縣丹丹烏里克遺址	俄羅斯艾爾米塔什博物館
14	吉祥天女	公元6–8世紀	新疆策勒縣丹丹烏里克遺址	
15	千佛	公元6–8世紀	新疆墨玉縣扎瓦鎮庫木拉巴特遺址	
15	供養人	公元6–8世紀	新疆和田市布蓋烏于來克寺院佛殿遺址	
16	説法圖	公元7–8世紀	新疆吐魯番市勝金口寺院遺址	德國柏林印度藝術博物館
16	供養人	公元8–9世紀	新疆鄯善縣吐峪溝寺院遺址	德國柏林印度藝術博物館
17	逾城出家	公元8–9世紀	新疆吐魯番市高昌寺院遺址	德國柏林印度藝術博物館
18	菩薩	公元8–9世紀	新疆吐魯番市高昌寺院遺址	德國柏林印度藝術博物館
18	摩尼教徒	公元8–9世紀	新疆吐魯番市高昌寺院遺址	德國柏林印度藝術博物館
19	摩尼女教徒	公元8–9世紀	新疆吐魯番市高昌寺院遺址	德國柏林印度藝術博物館
19	景教徒	公元9世紀	新疆吐魯番市高昌寺院遺址	德國柏林印度藝術博物館
20	執金剛神	公元9世紀	新疆吐魯番市高昌寺院遺址	德國柏林印度藝術博物館
20	菩薩	公元9世紀	新疆吐魯番市高昌寺院遺址	德國柏林印度藝術博物館
21	舞蹈童女	公元9世紀	新疆吐魯番市高昌寺院遺址	德國柏林印度藝術博物館
21	菩薩	公元9世紀	新疆吐魯番市勝金口寺院遺址	德國柏林印度藝術博物館
22	伎樂天女	唐	陝西西安市臨潼區慶山寺上方舍利塔地宫	
22	胡僧	唐	陝西西安市臨潼區慶山寺上方舍利塔地宫	
23	捲草紋彩繪	唐	遼寧朝陽市北塔	
23	彩繪	唐	遼寧朝陽市北塔	
24	諸菩薩衆	唐	山西五臺縣佛光寺東大殿	
26	彌陀説法	唐	山西五臺縣佛光寺東大殿	
27	觀世音菩薩	唐	山西五臺縣佛光寺東大殿	
27	大勢至菩薩	唐	山西五臺縣佛光寺東大殿	
28	諸菩薩衆	唐	山西五臺縣佛光寺東大殿	
28	諸菩薩衆	唐	山西五臺縣佛光寺東大殿	
29	鎮妖	唐	山西五臺縣佛光寺東大殿	
30	天王與天女	唐	山西五臺縣佛光寺東大殿	
32	天女擎花	五代十國	山西平順縣大雲院彌陀殿	
32	菩薩與天王	五代十國	山西平順縣大雲院彌陀殿	
33	菩薩	五代十國	山西平順縣大雲院彌陀殿	
34	香積菩薩及侍者	五代十國	山西平順縣大雲院彌陀殿	
34	飛天	五代十國	山西平順縣大雲院彌陀殿	

頁碼	名稱	時代	出土發現地	收藏地
35	觀世音菩薩	五代十國	山西平順縣大雲院彌陀殿	

遼北宋西夏金（公元九〇七年至公元一二三四年）

頁碼	名稱	時代	出土發現地	收藏地
36	東方持國天王	遼	遼寧瀋陽市無垢净光舍利塔地宫	
36	南方增長天王	遼	遼寧瀋陽市無垢净光舍利塔地宫	
37	北方多聞天王	遼	遼寧瀋陽市無垢净光舍利塔地宫	
37	西方廣目天王	遼	遼寧瀋陽市無垢净光舍利塔地宫	
38	觀世音菩薩	遼	山西靈丘縣覺山寺塔	
38	東方持國天王	遼	山西靈丘縣覺山寺塔	
39	大輪明王	遼	山西靈丘縣覺山寺塔	
39	明王	遼	山西靈丘縣覺山寺塔	
40	飛天	遼	山西靈丘縣覺山寺塔	
40	飛天	遼–金	山西應縣佛宫寺釋迦塔	
41	供養天女	遼–金	山西應縣佛宫寺釋迦塔	
42	供養天女	遼–金	山西應縣佛宫寺釋迦塔	
43	密迹金剛	遼–金	山西應縣佛宫寺釋迦塔	
44	金剛	遼–金	山西應縣佛宫寺釋迦塔	
45	南方增長天王	遼–金	山西應縣佛宫寺釋迦塔	
46	東方持國天王	遼–金	山西應縣佛宫寺釋迦塔	
47	托塔天王	北宋	河北定州市静志寺塔基地宫	
47	天王	北宋	河北定州市静志寺塔基地宫	
48	捧盆侍女	北宋	河北定州市静志寺塔基地宫	
49	帝釋禮佛圖	北宋	河北定州市静志寺塔基地宫	
50	涅槃變	北宋	河北定州市净衆院塔基地宫	
52	弟子舉哀	北宋	河北定州市净衆院塔基地宫	
53	天童舉哀	北宋	河北定州市净衆院塔基地宫	
54	涅槃變之哀樂圖	北宋	河北定州市净衆院塔基地宫	
56	涅槃變之哀樂圖	北宋	河北定州市净衆院塔基地宫	
58	釋迦牟尼説法圖	北宋	山西高平市開化寺大雄寶殿	
59	樓閣	北宋	山西高平市開化寺大雄寶殿	

頁碼	名稱	時代	出土發現地	收藏地
60	供養菩薩	北宋	山西高平市開化寺大雄寶殿	
61	聽法菩薩與弟子	北宋	山西高平市開化寺大雄寶殿	
62	華色比丘尼經變	北宋	山西高平市開化寺大雄寶殿	
63	刑場	北宋	山西高平市開化寺大雄寶殿	
64	轉輪王捨身供佛本生經變	北宋	山西高平市開化寺大雄寶殿	
65	觀織	北宋	山西高平市開化寺大雄寶殿	
66	觀漁	北宋	山西高平市開化寺大雄寶殿	
67	屠沽	北宋	山西高平市開化寺大雄寶殿	
68	入海求珠	北宋	山西高平市開化寺大雄寶殿	
69	神牛醫眼	北宋	山西高平市開化寺大雄寶殿	
70	榮歸	北宋	山西高平市開化寺大雄寶殿	
71	釋迦牟尼説法圖	北宋	山西高平市開化寺大雄寶殿	
72	飛天	北宋	山西高平市開化寺大雄寶殿	
73	脅侍菩薩	北宋	山西高平市開化寺大雄寶殿	
74	聽法菩薩	北宋	山西高平市開化寺大雄寶殿	
75	聽法菩薩	北宋	山西高平市開化寺大雄寶殿	
76	均提童子得道經變	北宋	山西高平市開化寺大雄寶殿	
77	觀世音法會	北宋	山西高平市開化寺大雄寶殿	
78	樂舞伎	北宋	山西高平市開化寺大雄寶殿	
80	鹿女本生	北宋	山西高平市開化寺大雄寶殿	
81	禮佛圖	回鶻高昌	新疆焉耆回族自治縣明屋寺院遺址	英國倫敦大英博物館
81	寫經圖	回鶻高昌	新疆焉耆回族自治縣明屋寺院遺址	英國倫敦大英博物館
82	寫經圖	回鶻高昌	新疆焉耆回族自治縣明屋寺院遺址	英國倫敦大英博物館
82	僧人	回鶻高昌	新疆焉耆回族自治縣明屋寺院遺址	英國倫敦大英博物館
83	講經圖	回鶻高昌	新疆焉耆回族自治縣明屋寺院遺址	英國倫敦大英博物館
84	拜佛圖	回鶻高昌	新疆焉耆回族自治縣明屋寺院遺址	英國倫敦大英博物館
84	禮佛圖	回鶻高昌	新疆焉耆回族自治縣明屋寺院遺址	俄羅斯艾爾米塔什博物館
85	説法圖	回鶻高昌	新疆焉耆回族自治縣明屋寺院遺址	俄羅斯艾爾米塔什博物館
86	供養人	回鶻高昌	新疆吉木薩爾縣北庭故城西大寺	
86	分舍利圖	回鶻高昌	新疆吉木薩爾縣北庭故城西大寺	
87	供養比丘	回鶻高昌	新疆吉木薩爾縣北庭故城西大寺	
87	供養菩薩	回鶻高昌	新疆吉木薩爾縣北庭故城西大寺	
88	脅侍菩薩	回鶻高昌	新疆吉木薩爾縣北庭故城西大寺	
88	亦都護供養像	回鶻高昌	新疆吉木薩爾縣北庭故城西大寺	

頁碼	名稱	時代	出土發現地	收藏地
89	經變畫	回鶻高昌	新疆吉木薩爾縣北庭故城西大寺	
89	日 月 獸面	西夏	寧夏銀川市賀蘭山東麓拜寺溝方塔	
90	岩山寺文殊殿西壁壁畫示意圖			
90	佛本行經變	金	山西繁峙縣岩山寺文殊殿	
92	宮殿	金	山西繁峙縣岩山寺文殊殿	
93	擊鼓報喜	金	山西繁峙縣岩山寺文殊殿	
94	百官朝賀	金	山西繁峙縣岩山寺文殊殿	
95	隔城投象	金	山西繁峙縣岩山寺文殊殿	
95	射九重鐵鼓	金	山西繁峙縣岩山寺文殊殿	
96	出游西門	金	山西繁峙縣岩山寺文殊殿	
96	離宮出走	金	山西繁峙縣岩山寺文殊殿	
97	阿斯歸算罷得寶	金	山西繁峙縣岩山寺文殊殿	
98	迦毗羅衛國王宮南門城樓	金	山西繁峙縣岩山寺文殊殿	
99	釋迦牟尼像	金	山西繁峙縣岩山寺文殊殿	
100	後宮祭祀	金	山西繁峙縣岩山寺文殊殿	
101	天宮樓閣	金	山西繁峙縣岩山寺文殊殿	
102	水推磨坊	金	山西繁峙縣岩山寺文殊殿	
103	武官與儀衛	金	山西繁峙縣岩山寺文殊殿	
103	七級浮圖	金	山西繁峙縣岩山寺文殊殿	
104	敵樓與白露屋	金	山西繁峙縣岩山寺文殊殿	
104	海市蜃樓	金	山西繁峙縣岩山寺文殊殿	
105	釋迦牟尼説法圖	金	山西朔州市崇福寺彌陀殿	
106	觀世音菩薩	金	山西朔州市崇福寺彌陀殿	
107	飛天	金	山西朔州市崇福寺彌陀殿	
107	飛天	金	山西朔州市崇福寺彌陀殿	
108	釋迦説法圖	金	山西朔州市崇福寺彌陀殿	
109	普賢菩薩	金	山西朔州市崇福寺彌陀殿	
110	地藏王菩薩	金	山西朔州市崇福寺彌陀殿	
110	飛天	金	山西朔州市崇福寺彌陀殿	
111	五佛赴會	金	山西朔州市崇福寺彌陀殿	
111	日想觀	金	山西朔州市崇福寺彌陀殿	
112	千手千眼觀世音菩薩	金	山西朔州市崇福寺彌陀殿	
113	千手千眼觀世音菩薩手之局部	金	山西朔州市崇福寺彌陀殿	
114	婆藪天	金	山西朔州市崇福寺彌陀殿	

頁碼	名稱	時代	出土發現地	收藏地
115	吉祥天	金	山西朔州市崇福寺彌陀殿	
116	釋迦牟尼説法圖	公元11-12世紀	西藏扎囊縣扎塘寺佛殿	
118	供養人	公元11-12世紀	西藏扎囊縣扎塘寺佛殿	
118	供塔菩薩	公元11-12世紀	西藏扎囊縣扎塘寺佛殿	
119	菩薩	公元11-12世紀	西藏扎囊縣扎塘寺佛殿	

元（公元一二七一年至公元一三六八年）

頁碼	名稱	時代	出土發現地	收藏地
120	朝元圖	元	傳山西平陽府（治今山西臨汾）某道觀	加拿大多倫多市皇家安大略博物館
120	朝元圖	元	傳山西平陽府某道觀（治今山西臨汾）某道觀	加拿大多倫多市皇家安大略博物館
122	青龍寺腰殿西壁壁畫	元	山西稷山縣青龍寺腰殿	
123	帝釋天聖衆	元	山西稷山縣青龍寺腰殿	
124	梵天聖衆	元	山西稷山縣青龍寺腰殿	
125	日宫天子	元	山西稷山縣青龍寺腰殿	
126	護法神將	元	山西稷山縣青龍寺腰殿	
127	鬼子母衆	元	山西稷山縣青龍寺腰殿	
128	元君聖母	元	山西稷山縣青龍寺腰殿	
129	四海龍王衆	元	山西稷山縣青龍寺腰殿	
130	十二元辰	元	山西稷山縣青龍寺腰殿	
131	五通仙人衆	元	山西稷山縣青龍寺腰殿	
132	五方五帝神衆	元	山西稷山縣青龍寺腰殿	
133	菩薩	元	山西稷山縣青龍寺腰殿	
134	地居飛空	元	山西稷山縣青龍寺腰殿	
134	往古賢婦烈女衆	元	山西稷山縣青龍寺腰殿	
135	啖漫德伽明王	元	山西稷山縣青龍寺腰殿	
136	地府	元	山西稷山縣青龍寺腰殿	
136	面善大師和亡魂	元	山西稷山縣青龍寺腰殿	
137	吉祥天女	元	山西稷山縣青龍寺腰殿	
137	脅侍菩薩	元	山西稷山縣青龍寺腰殿	

頁碼	名稱	時代	出土發現地	收藏地
138	七佛圖	元	山西稷山縣興化寺中殿	故宮博物院
138	坐佛	元	山西稷山縣興化寺中殿	故宮博物院
140	供養菩薩	元	山西稷山縣興化寺中殿	
141	供養菩薩	元	山西稷山縣興化寺中殿	
141	太子誕生	元	山西稷山縣興化寺中院腰殿	山西省稷山縣文化館
142	彌勒説法圖	元	山西稷山縣興化寺後殿	加拿大多倫多市皇家安大略博物館
144	祈雨圖	元	山西洪洞縣水神廟明應王殿	
146	侍吏	元	山西洪洞縣水神廟明應王殿	
146	敕建興唐寺	元	山西洪洞縣水神廟明應王殿	
147	捶丸	元	山西洪洞縣水神廟明應王殿	
148	對弈	元	山西洪洞縣水神廟明應王殿	
149	太宗千里行徑圖	元	山西洪洞縣水神廟明應王殿	
150	雜劇	元	山西洪洞縣水神廟明應王殿	
151	園中梳妝	元	山西洪洞縣水神廟明應王殿	
152	買魚	元	山西洪洞縣水神廟明應王殿	
153	王宮尚食圖	元	山西洪洞縣水神廟明應王殿	
154	王宮尚寶	元	山西洪洞縣水神廟明應王殿	
155	善財參見摩耶佛母	元	山西洪洞縣廣勝下寺大雄寶殿	
155	遍友童子師	元	山西洪洞縣廣勝下寺大雄寶殿	
156	神荼	元	山西芮城縣永樂宮龍虎殿	
156	飛天	元	山西芮城縣永樂宮三清殿	
157	南極長生大帝	元	山西芮城縣永樂宮三清殿	
158	玉女	元	山西芮城縣永樂宮三清殿	
159	白虎星君	元	山西芮城縣永樂宮三清殿	
160	三清殿北壁東部壁畫	元	山西芮城縣永樂宮三清殿	
162	玄元十子之一	元	山西芮城縣永樂宮三清殿	
163	北斗七星君	元	山西芮城縣永樂宮三清殿	
163	水星	元	山西芮城縣永樂宮三清殿	
164	月孛星	元	山西芮城縣永樂宮三清殿	
164	金星	元	山西芮城縣永樂宮三清殿	
165	天 地 水三官	元	山西芮城縣永樂宮三清殿	
166	玉女	元	山西芮城縣永樂宮三清殿	
166	天蓬大元帥	元	山西芮城縣永樂宮三清殿	
167	翊聖黑煞將軍	元	山西芮城縣永樂宮三清殿	

頁碼	名稱	時代	出土發現地	收藏地
167	力士	元	山西芮城縣永樂宮三清殿	
168	飛天神王　天丁　力士	元	山西芮城縣永樂宮三清殿	
169	太上昊天玉皇大帝	元	山西芮城縣永樂宮三清殿	
169	梓潼文昌帝君	元	山西芮城縣永樂宮三清殿	
170	倉頡	元	山西芮城縣永樂宮三清殿	
170	三清殿西壁壁畫	元	山西芮城縣永樂宮三清殿	
171	玉女	元	山西芮城縣永樂宮三清殿	
172	天猷副元帥　佑聖真武	元	山西芮城縣永樂宮三清殿	
173	白玉龜臺九靈太真金母元君	元	山西芮城縣永樂宮三清殿	
174	玉女	元	山西芮城縣永樂宮三清殿	
175	玉女	元	山西芮城縣永樂宮三清殿	
176	太乙諸神	元	山西芮城縣永樂宮三清殿	
177	天神	元	山西芮城縣永樂宮三清殿	
178	八卦諸神	元	山西芮城縣永樂宮三清殿	
179	雷部衆神	元	山西芮城縣永樂宮三清殿	
180	雷公	元	山西芮城縣永樂宮三清殿	
180	電母	元	山西芮城縣永樂宮三清殿	
181	二仙論道	元	山西芮城縣永樂宮純陽殿	
182	吕洞賓	元	山西芮城縣永樂宮純陽殿	
183	松仙	元	山西芮城縣永樂宮純陽殿	
183	柳仙	元	山西芮城縣永樂宮純陽殿	
184	道觀醮樂	元	山西芮城縣永樂宮純陽殿	
185	奏樂	元	山西芮城縣永樂宮純陽殿	
186	道觀齋供	元	山西芮城縣永樂宮純陽殿	
187	備齋道童	元	山西芮城縣永樂宮純陽殿	
188	八仙過海	元	山西芮城縣永樂宮純陽殿	
188	奏樂童女	元	山西芮城縣永樂宮純陽殿	
189	奏樂童女	元	山西芮城縣永樂宮純陽殿	
190	奏樂童女	元	山西芮城縣永樂宮純陽殿	
190	舞蹈童子	元	山西芮城縣永樂宮純陽殿	
191	舞蹈童子	元	山西芮城縣永樂宮純陽殿	
192	瑞應永樂	元	山西芮城縣永樂宮純陽殿	
193	慈濟陰德	元	山西芮城縣永樂宮純陽殿	
194	度化何仙姑	元	山西芮城縣永樂宮純陽殿	

頁碼	名稱	時代	出土發現地	收藏地
195	武昌貨墨	元	山西芮城縣永樂宮純陽殿	
196	廬山放生	元	山西芮城縣永樂宮純陽殿	
196	夜宿馬庭鸞府	元	山西芮城縣永樂宮純陽殿	
197	度化孫賣魚	元	山西芮城縣永樂宮純陽殿	
198	游寒山寺	元	山西芮城縣永樂宮純陽殿	
199	救苟婆眼疾	元	山西芮城縣永樂宮純陽殿	
200	神化赴千道會	元	山西芮城縣永樂宮純陽殿	
201	度化趙相公	元	山西芮城縣永樂宮純陽殿	
202	丹度莫敵	元	山西芮城縣永樂宮純陽殿	
203	誕生咸陽	元	山西芮城縣永樂宮重陽殿	
203	劉蔣焚庵	元	山西芮城縣永樂宮重陽殿	
204	嘆骷髏	元	山西芮城縣永樂宮重陽殿	
204	却介官人	元	山西芮城縣永樂宮重陽殿	
205	會别紇石烈	元	山西芮城縣永樂宮重陽殿	
205	牽馬	元	山西芮城縣永樂宮重陽殿	
206	玉女	元	山西芮城縣永樂宮重陽殿	
206	宫女	元	山西汾陽市五岳廟五岳殿	
207	五岳出行	元	山西汾陽市五岳廟五岳殿	
208	水仙出行	元	山西汾陽市五岳廟水仙殿	
209	朝元圖	元	陝西銅川市耀州區南庵四帝殿	
209	南斗六星君	元	陝西銅川市耀州區南庵四帝殿	
210	五佛五智大曼荼羅	公元14世紀	西藏日喀則市夏魯寺南配殿	
211	不動明王	公元14世紀	西藏日喀則市夏魯寺南配殿	
211	妙音天女	公元14世紀	西藏日喀則市夏魯寺南配殿	
212	杰尊喜饒迥乃像	公元14世紀	西藏日喀則市夏魯寺北配殿	
213	阿彌陀佛	公元14世紀	西藏日喀則市夏魯寺北配殿	
214	阿閦佛	公元14世紀	西藏日喀則市夏魯寺北配殿	
215	四面八臂依怙尊	公元14世紀	西藏日喀則市夏魯寺北配殿	
216	四臂觀音	公元14世紀	西藏日喀則市夏魯寺北外配殿	
217	禮佛圖	公元14世紀	西藏日喀則市夏魯寺	
218	龍尊王佛説法	公元14世紀	西藏日喀則市夏魯寺	
219	供養天	公元14世紀	西藏日喀則市夏魯寺	
220	須摩提女緣品	公元14世紀	西藏日喀則市夏魯寺	

明（公元一三六八年至公元一六四四年）

頁碼	名稱	時代	出土發現地	收藏地
221	羅漢	明	山西五臺縣佛光寺文殊殿	
222	羅漢	明	山西五臺縣佛光寺文殊殿	
223	十方佛赴會圖	明	北京法海寺大雄寶殿	
223	四菩薩	明	北京法海寺大雄寶殿	
224	菩薩	明	北京法海寺大雄寶殿	
225	牡丹	明	北京法海寺大雄寶殿	
226	飛天	明	北京法海寺大雄寶殿	
226	十方佛	明	北京法海寺大雄寶殿	
227	蓮花	明	北京法海寺大雄寶殿	
228	菩薩	明	北京法海寺大雄寶殿	
229	菩薩	明	北京法海寺大雄寶殿	
230	帝釋梵天圖	明	北京法海寺大雄寶殿	
232	帝釋梵天圖	明	北京法海寺大雄寶殿	
234	梵天像	明	北京法海寺大雄寶殿	
235	持國天王	明	北京法海寺大雄寶殿	
236	韋馱天	明	北京法海寺大雄寶殿	
237	功德天	明	北京法海寺大雄寶殿	
238	咒師	明	北京法海寺大雄寶殿	
238	持鏡侍女	明	北京法海寺大雄寶殿	
239	大自在天	明	北京法海寺大雄寶殿	
240	摩利支天	明	北京法海寺大雄寶殿	
241	帝釋天像	明	北京法海寺大雄寶殿	
242	廣目天王	明	北京法海寺大雄寶殿	
243	多聞天王	明	北京法海寺大雄寶殿	
244	菩提樹天	明	北京法海寺大雄寶殿	
245	辯才天	明	北京法海寺大雄寶殿	
246	金剛密迹	明	北京法海寺大雄寶殿	
247	鬼子母	明	北京法海寺大雄寶殿	
248	水月觀音	明	北京法海寺大雄寶殿	

頁碼	名稱	時代	出土發現地	收藏地
249	韋馱	明	北京法海寺大雄寶殿	
250	鸚鵡	明	北京法海寺大雄寶殿	
250	金犼	明	北京法海寺大雄寶殿	
251	善財童子	明	北京法海寺大雄寶殿	
252	普賢菩薩	明	北京法海寺大雄寶殿	
253	最勝長者	明	北京法海寺大雄寶殿	
254	六牙白象	明	北京法海寺大雄寶殿	
255	獅子	明	北京法海寺大雄寶殿	
256	月蓋老人	明	北京法海寺大雄寶殿	

巫術儀式（上圖）

新石器時代

出于甘肅秦安縣大地灣仰韶文化晚期遺址房址地面。

畫面高110、寬120厘米。

此畫用木炭繪于房址的白灰地面上，畫面上兩人均右手持棒狀物，雙腿交叉作行走狀。其下畫一棺，内有兩身俯卧的軀體。此畫表現的似乎是圍繞死者作驅趕妖邪的巫術活動。

現藏甘肅省文物考古研究所。

車馬圖

秦

出于陝西咸陽市秦都3號宫殿遺址。

全畫高87.6、寬106厘米。

宫殿遺址内總計發現七套車馬壁畫，此爲其中一組。四馬棗紅色，作奔馳狀；車爲單轅，厢有大小兩窗。畫面漫漶甚重。

現藏陝西省咸陽市文物保護中心。

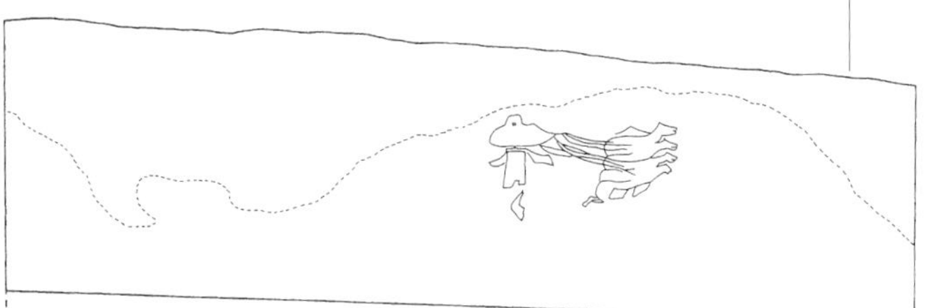

東壁第七間

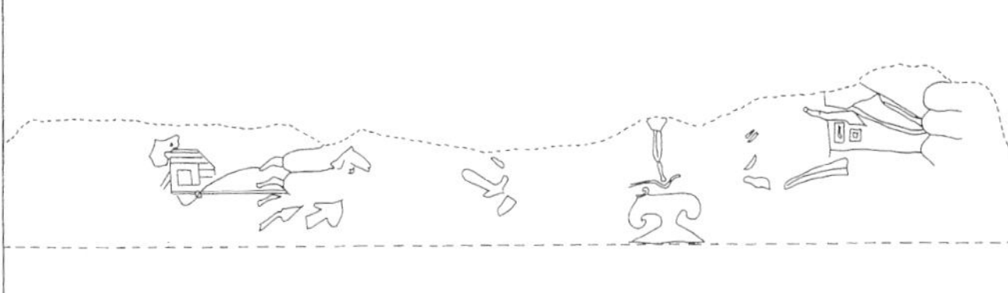

東壁第六間

秦都3號宮殿遺址廊墻東壁壁畫示意圖

秦都3號宮殿遺址繪有壁畫的廊道長32.4米、寬5米，共計九間。東西兩壁均繪壁畫。墻體利用夯基切削而成，經粗、細草泥加工抹光，然後墻面塗白灰粉刷，處理光平後繪壁畫。東壁第一、二、三、八間壁畫已不存。

人物

秦

出于陝西咸陽市秦都3號宮殿遺址。

圖中人物頭部模糊不清，身着褐色袍，袍下部呈喇叭口狀。此圖殘損嚴重。

現藏陝西省咸陽市文物保護中心。

人物

秦

出于陝西咸陽市秦都3號宮殿遺址。

高12厘米。

人物繪于黑色寬帶的三角形右側，頭戴風帽，身着白領緇衣，腰束白帶，側身跪地，雙臂前伸。此人物身後遺存側身蹬地、挽弓射箭的赭紅色綫描人物畫稿。

現藏陝西省咸陽市文物保護中心。

東壁第五間

東壁第四間

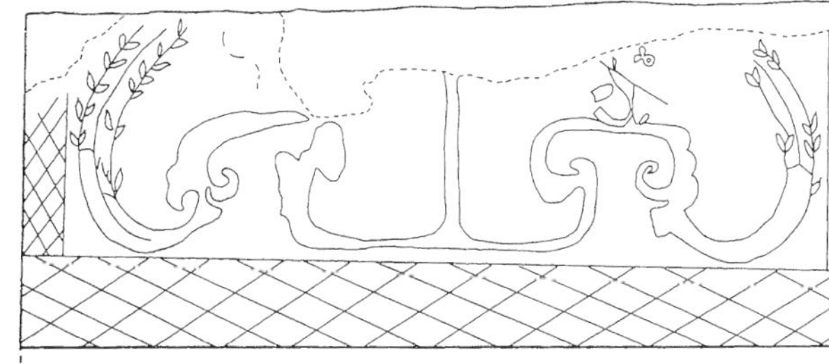

東壁第九間

壁畫殘塊

秦

出于陝西咸陽市秦都3號宮殿遺址。

秦都3號宮殿遺址出土壁畫可分爲人物車騎、車馬出行、動物、植物、臺榭建築、神獸和裝飾圖案等幾類，共出土殘塊一百八十餘塊。

現藏陝西省咸陽市文物保護中心。

壁畫殘塊之一

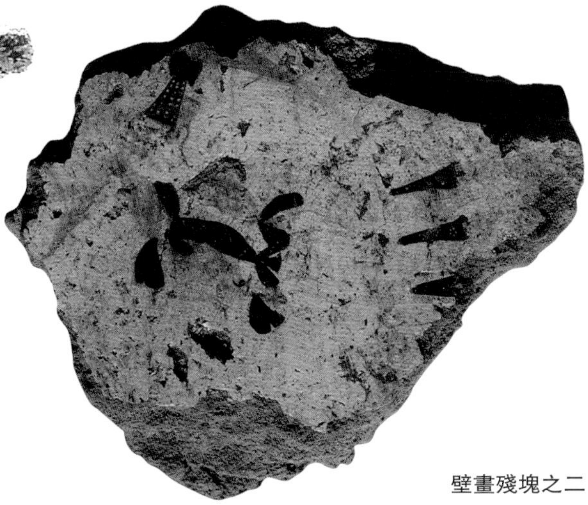

壁畫殘塊之二

壁畫殘塊之三

壁畫殘塊之四

神獸

秦

出于陝西咸陽市秦都3號宮殿遺址。

神獸頭部扁圓，耳大眼圓，鼻小嘴寬。軀體捲曲，長尾，一腿曲撑，三白色爪。

現藏陝西省咸陽市文物保護中心。

佛像

公元3-4世紀

出于新疆民豐縣尼雅佛寺遺址。

殘高50、殘寬70厘米。

圖中佛披黑色田格式袈裟，眉心繪白毫，留八字鬚，頭光分内外兩圈。

現藏新疆文物考古研究所。

有翼天人

公元3–4世紀

出于新疆若羌縣米蘭3號寺院遺址。

殘高45.7、殘寬66厘米。

圖中天人梳男童髮式，背部生展開的雙翼。這種天國人物的藝術形象多見于犍陀羅藝術中，向東衹傳到新疆米蘭一帶即止。

現藏印度新德里國家博物館。

有翼天人

公元3–4世紀

出于新疆若羌縣米蘭3號寺院遺址。

殘高44.5、殘寬52.4厘米。

圖中對天人雙翼羽毛加以暈染。

現藏印度新德里國家博物館。

有翼天人

公元3-4世紀
出于新疆若羌縣米蘭5號寺院遺址。
殘高53.4、殘寬68.5厘米。
圖中天人滿頭黑髮，背部生雙翼，胸下飾雲紋帶。
現藏印度新德里國家博物館。

花鏈飾帶

公元3-4世紀
出于新疆若羌縣米蘭5號寺院遺址内墻下部。
殘寬346.9厘米。
圖繪一“S”形大花鏈，其凹凸處各有一半身人物，此種構圖與主題具有犍陀羅藝術風格。
現藏印度新德里國家博物館。

佛與六弟子

公元3-4世紀
出于新疆若羌縣米蘭3號寺院遺址。
殘高56.8、殘寬99.8厘米。
此圖似爲釋迦牟尼説法圖殘片。
現藏印度新德里國家博物館。

占夢

公元3–4世紀

出于新疆若羌縣米蘭3號寺院遺址。

殘高86、殘寬60厘米。

此畫描繪的是悉達多之母夜晚感夢，其父净飯王召相師占夢的情景。

現藏印度新德里國家博物館。

佛像

公元4–5世紀
出于新疆于田縣喀拉墩古城61號佛殿遺址。
殘高33、殘寬34.5厘米。
圖中綫條采用“屈鐵盤絲”技法，并以朱紅色暈染面頰，使人物面部豐滿而潤澤。
現藏新疆文物考古研究所。

佛像

公元4–5世紀
出于新疆于田縣喀拉墩古城61號佛殿遺址。
殘高64.5、殘寬46厘米。
畫面保存較完整，佛交兩脚坐于蓮花臺上，袈裟色彩剥落無存。
現藏新疆文物考古研究所。

婆羅門

公元6世紀
出于新疆庫車縣夏哈吐爾寺院遺址。
殘高17、殘寬24厘米。
圖中婆羅門神色凝重，悉心聽佛說法。
現藏法國巴黎吉美美術館。

說法圖

公元7世紀
出于新疆巴楚縣佛寺遺址。
殘高51、殘寬75厘米。
畫面右側欄内繪佛結跏趺坐，手結說法印，佛右側繪執金剛神，左側繪婆羅門；畫面左側欄内殘留一部分佛的背光，佛旁繪兩武士合掌禮拜。
現藏德國柏林印度藝術博物館。

大自在天

公元6–8世紀
出于新疆策勒縣丹丹烏里克遺址。
木板壁畫。
板高33、寬20.2厘米。
從板背面的情況可推測當時是釘在寺院墻壁上的。天神三面六臂，手持日、月和金剛杵等，坐于二牛身上。
現藏英國倫敦大英博物館。

絹神

公元6–8世紀
出于新疆策勒縣丹丹烏里克遺址。
木板壁畫。
板高33、寬20.2厘米。
爲“大自在天”的背面繪畫。神爲波斯人形象，四臂，手持法物。
現藏英國倫敦大英博物館。

騎乘人物圖

公元6–8世紀
出于新疆策勒縣丹丹烏里克遺址。
木板壁畫。
板高38.5、寬18厘米。
上部人物騎馬，右手持碗，一鳥欲飛入碗中。下部人物騎駝，手亦持碗。
現藏英國倫敦大英博物館。

蠶種絲織西傳

公元6–8世紀
出于新疆策勒縣丹丹烏里克遺址。
木板壁畫。
板高34、寬13.5厘米。
上部繪四臂織機神，其右上手托繭，右下手執笏板于胸，左上手似執梭，左下手持紡錘；中部繪公主梳洗，旁邊侍女手托絲織品；下部繪公主與侍女持梭于織機上紡織。
現藏俄羅斯艾爾米塔什博物館。

蠶種西漸傳説圖

公元6–8世紀
出于新疆策勒縣丹丹烏里克遺址。
木板壁畫。
板高12、寬46厘米。
畫面左側一女手指中間公主的髮飾，表現的是中國公主偷偷地將蠶種藏于髮中，帶到于闐的故事。
現藏英國倫敦大英博物館。

天神

公元6–8世紀
出于新疆策勒縣丹丹烏里克遺址。
木板壁畫。
板高10.6、長25.8厘米。
畫面左側爲帝釋天，手持金剛杵；中間爲大自在天，雙手擎日和月；右側爲梵天，三面四臂，手持杯子和弓箭。
現藏英國倫敦大英博物館。

紡織神

公元6–8世紀
出于新疆策勒縣丹丹烏里克遺址。
木板壁畫。
圖中神像戴王冠，着武士裝，一面四臂，右手拿織布用具筬，左手拿杼。
現藏俄羅斯艾爾米塔什博物館。

吉祥天女

公元6–8世紀
出于新疆策勒縣丹丹烏里克遺址。
此圖取材于于闐建國傳説：于闐立國之君出生于毗沙門天神的額頭，吸食神賜與的“地乳”長大成人。畫面中的吉祥天女撫摸乳房，俯望親昵相依的小兒，表現了“地乳育嬰”的情節。

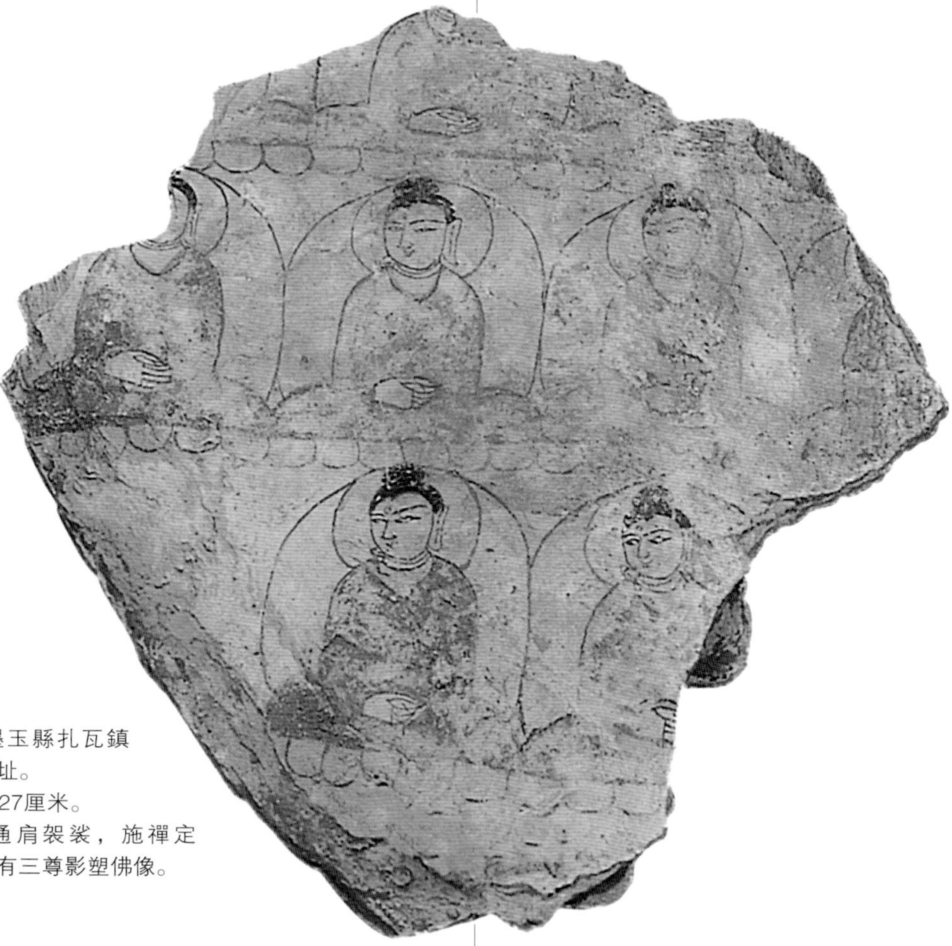

千佛

公元6–8世紀
采集于新疆墨玉縣扎瓦鎮
庫木拉巴特遺址。
殘高34、殘寬27厘米。
圖中千佛着通肩袈裟，施禪定印。此圖背面有三尊影塑佛像。

供養人

公元6–8世紀
出于新疆和田市布蓋烏于來克寺院佛殿遺址。
圖中繪跪于佛足下的女供養人。

供養人

公元8–9世紀
出于新疆鄯善縣吐峪溝寺院遺址。
高73、寬32厘米。
畫面分爲兩層，每層各兩人，均戴頭巾，着長靴，合掌禮拜。人物應是突厥供養人。
現藏德國柏林印度藝術博物館。

説法圖

公元7–8世紀
出于新疆吐魯番市勝金口寺院遺址。
高49.5、寬33.5厘米。
圖中佛坐于束腰方形臺座上，身後有身光和頭光。佛身後上部右側爲一武士裝人物，上部左側爲一持水瓶的佛。臺座右側爲獅子，臺座左側爲比丘。
現藏德國柏林印度藝術博物館。

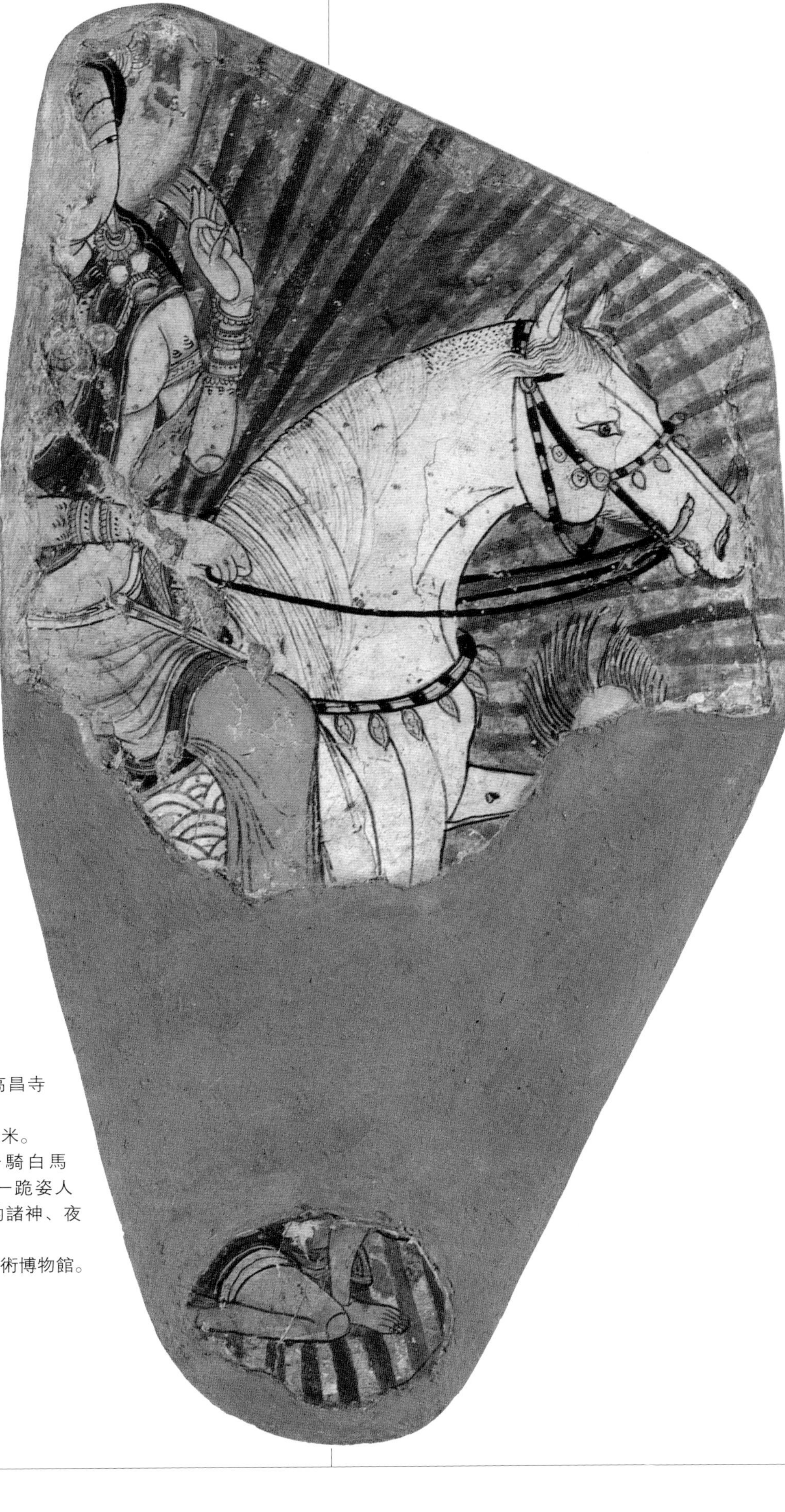

逾城出家

公元8-9世紀
出于新疆吐魯番市高昌寺院遺址。
殘高47、殘寬26.5厘米。
圖中繪悉達多太子騎白馬出家，馬下部殘留一跪姿人物，應是護送太子的諸神、夜叉的一部分。
現藏德國柏林印度藝術博物館。

菩薩

公元8–9世紀
出于新疆吐魯番市高昌寺院遺址。
殘高25、殘寬22厘米。
圖中菩薩結跏趺坐于山中，身上戴裝飾。
現藏德國柏林印度藝術博物館。

摩尼教徒

公元8–9世紀
出于新疆吐魯番市高昌寺院遺址。
殘高27、殘寬35厘米。
圖中人物長髮及肩，濃密鬍鬚，戴白帽，着白衣，應是摩尼教的神職人員。
現藏德國柏林印度藝術博物館。

景教徒

公元9世紀
出于新疆吐魯番市高昌寺院遺址。
殘高43.5、殘寬21厘米。
圖中人物爲女性，長髮垂至後背，雙手于胸前拱手，着圓領淺棕色外衣，衣裏襯白裳，垂及地面。
現藏德國柏林印度藝術博物館。

摩尼女教徒

公元8-9世紀
出于新疆吐魯番市高昌寺院遺址。
殘高27、殘寬22厘米。
圖中人物戴白冠，冠前飾圓狀冠飾，冠後垂白布條。頭髮中分，長髮披肩，耳戴飾物。
現藏德國柏林印度藝術博物館。

執金剛神

公元9世紀
出于新疆吐魯番市高昌寺院遺址。
高80、寬49.5厘米。
畫面人物怒目圓睜，鬍鬚濃密，着鎧甲，左手持金剛杵。
現藏德國柏林印度藝術博物館。

菩薩

公元9世紀
出于新疆吐魯番市高昌寺院遺址。
高179、寬86厘米。
圖中菩薩神態安詳，姿態優美。
現藏德國柏林印度藝術博物館。

舞蹈童女

公元9世紀
出于新疆吐魯番市高昌寺院遺址。
殘高6、寬6厘米。
圖中童女裸身，頸戴項圈，脚踏圓氈，手持帔巾起舞。
現藏德國柏林印度藝術博物館。

菩薩

公元9世紀
出于新疆吐魯番市勝金口寺院遺址。
殘高19、殘寬15厘米。
圖中菩薩頭上戴飾物，雙手于胸前捧盤供養。
現藏德國柏林印度藝術博物館。

伎樂天女

唐

位于陝西西安市臨潼區慶山寺上方舍利塔地宫西壁。

高46、寬80厘米。

圖中天女分列兩排：前排四人由左至右所持樂器依次爲笛、琵琶、笙和拍板；後排四人由左至右依次持排管、簫、觱篥和笛。

慶山寺上方舍利塔地宫壁畫，繪于開元二十九年（公元741年）左右。

胡僧

唐

位于陝西西安市臨潼區慶山寺上方舍利塔地宫東壁。

寬33厘米。

東壁繪中外僧人五人，此圖爲其中之一。圖中僧人着圓領袈裟，結跏趺坐。

捲草紋彩繪（上圖）

唐

位于遼寧朝陽市北塔第八層東面塔身。

畫面爲捲草紋和花簇。

彩繪

唐

位于遼寧朝陽市北塔第九層東面塔身。

畫面爲斗栱及捲草紋。

諸菩薩衆

唐

位于山西五臺縣佛光寺東大殿北内槽前間栱眼壁外側。高69、寬406厘米。

此圖繪菩薩三層五十八尊，皆足踏蓮臺，頭頂祥雲。佛光寺東大殿建于大中十一年（公元857年）。在前後槽、内槽栱眼壁和明間佛座背面殘留唐代壁畫二十二幅，面積61.68平方米。

諸菩薩衆右部局部

諸菩薩衆中部局部

彌陀說法

唐

位于山西五臺縣佛光寺東大殿前槽北次間栱眼壁外側中部。

高69、寬210厘米。

畫面以阿彌陀佛居中，五菩薩脅侍。

觀世音菩薩

唐

位于山西五臺縣佛光寺東大殿前槽北次間栱眼壁外側北部。

高69、寬170厘米。

圖中繪觀世音菩薩率衆隨從聽法。

大勢至菩薩

唐

位于山西五臺縣佛光寺東大殿前槽北次間栱眼壁外側南部。

高69、寬170厘米。

圖中繪大勢至菩薩率衆隨從聽法。

諸菩薩衆

唐

位于山西五臺縣佛光寺東大殿南内槽前間栱眼壁外側東部。

高69、寬62厘米。

圖中菩薩衆共分四層，皆足踏蓮臺，有頭光。

諸菩薩衆

唐

位于山西五臺縣佛光寺東大殿後槽北梢間栱眼壁外側中部。

高54、寬44厘米。

圖中菩薩有頭光，姿態優美。

鎮妖

唐

位于山西五臺縣佛光寺東大殿明間佛座後側東腰處南部。

高33、寬29厘米。

圖中一神將，身着豹皮衣，足穿草鞋，正躬身降伏猴妖。猴頸繫鐵鏈。

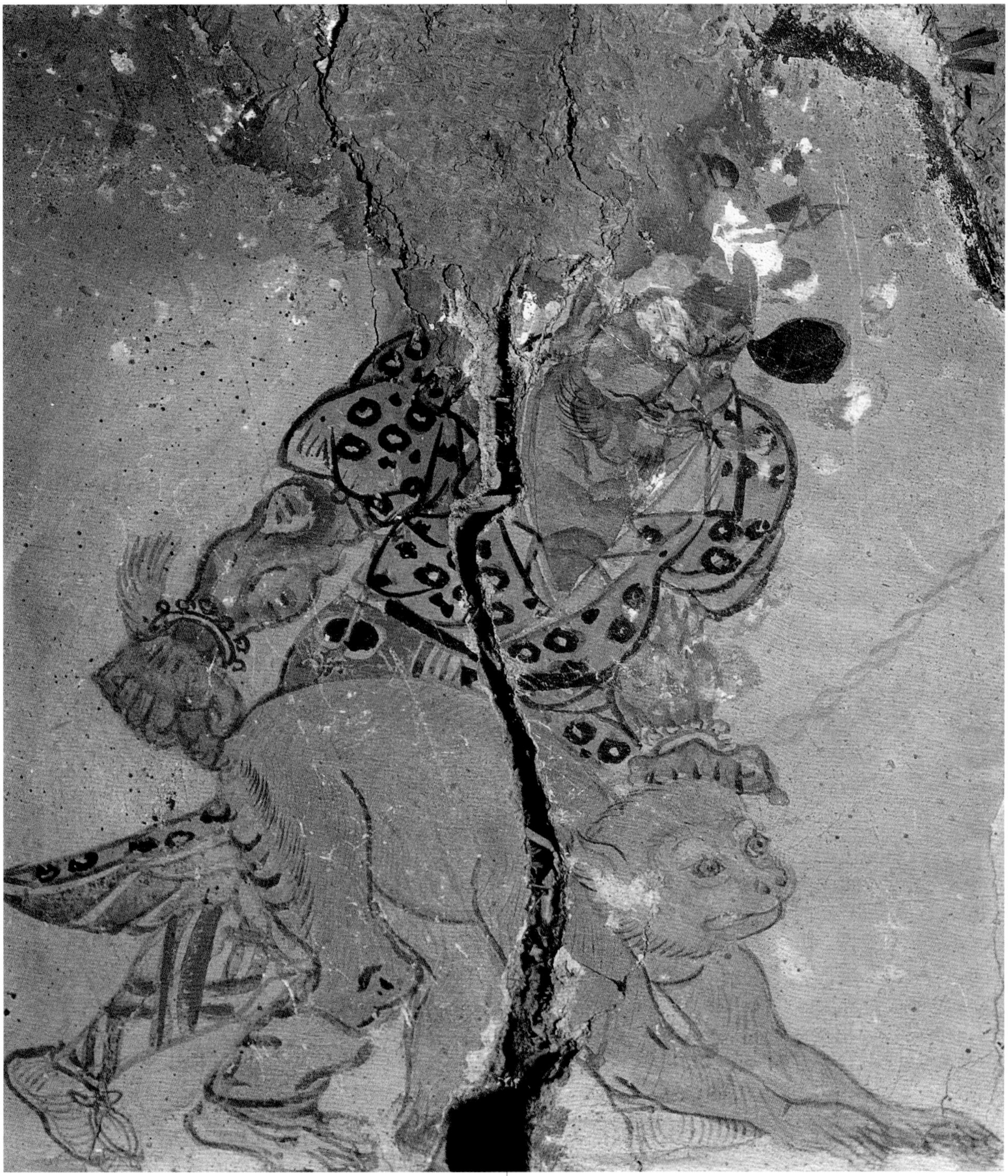

天王與天女

唐

位于山西五臺縣佛光寺東大殿明間佛座後側東腰處北部。

高33、寬46厘米。

圖中毗沙門天王身着甲衣，手持寶劍，足下踏二鬼。天王旁立天女，左手捧盤，右手托花，觀天王降妖。

天女擎花

五代十國

位于山西平順縣大雲院彌陀殿東壁中部下隅。

高120、寬80厘米。

圖中天女右手托花盤，左手持鮮花。天女擎花表達的是斷絶一切分別想念，以達净土世界的教義。

大雲院彌陀殿建于後晋天福五年（公元940年）。殿内四壁原繪滿壁畫，現僅東壁、北壁東部和扇面墻正背兩面有殘留，面積46平方米。

菩薩與天王

五代十國

位于山西平順縣大雲院彌陀殿東壁北部。

高64、寬93厘米。

圖中諸菩薩和天王正在聆聽維摩與文殊的精彩辯論，虔誠領會佛法真諦。

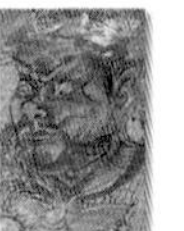

菩薩

五代十國

位于山西平順縣大雲院彌陀殿東壁。

高108、寬73厘米。

圖中菩薩均戴花冠，着長裙，雙手合十禮拜。

香積菩薩及侍者

五代十國

位于山西平順縣大雲院彌陀殿東壁北部。

高94、寬55厘米。

圖繪香積菩薩率衆菩薩、弟子、天王等虔心侍奉阿彌陀佛的情景。

飛天

五代十國

位于山西平順縣大雲院彌陀殿東壁中部上隅。

高98、寬143厘米。

圖中飛天袒胸露臂，雙手捧鉢，回首扭身飛翔。

觀世音菩薩

五代十國

位于山西平順縣大雲院彌陀殿扇面墻正面。

高177、寬125厘米。

圖中菩薩立姿，戴花冠，胸前飾瓔珞。圖墨書榜題“觀世音菩薩壹尊，合家供養”。

東方持國天王（上圖）

遼

位于遼寧瀋陽市無垢净光舍利塔地宫東壁。

全畫高122、寬154厘米。

圖中天王束燕尾形髻,坐于岩上,右手持劍。其左側繪一鬼托狼牙棒侍立。

無垢净光舍利塔地宫建于重熙十三年（公元1044年），四壁繪壁畫。

南方增長天王

遼

位于遼寧瀋陽市無垢净光舍利塔地宫南壁。

全畫高122、寬154厘米。

圖中天王手持長箭，端坐于石板上，身右側立一持弓鬼王，口吐烈焰。

北方多聞天王

遼

位于遼寧瀋陽市無垢净光舍利塔地宫北壁。

全畫高122、寬146厘米。

圖中天王怒目圓睁，束髮戴冠，身着鎧甲，右手持三齒鋼叉，左手托寶塔。

西方廣目天王

遼

位于遼寧瀋陽市無垢净光舍利塔地宫西壁。

全畫高122、寬146厘米。

圖中天王身右小鬼尖嘴猴腮，髮立如刺，肩背劍鞘。

觀世音菩薩

遼

位于山西靈丘縣覺山寺塔底層南門洞内東側。

高89厘米。

本圖爲白衣觀世音像。觀音着白衣,以示純净的菩提心。此像全高169厘米。

覺山寺塔重建于大安六年（公元1090年）。塔底層繪壁畫，尚存遼代壁畫81.36平方米。

東方持國天王

遼

位于山西靈丘縣覺山寺塔底層中心柱東南面。

高100厘米。

圖中天王頭戴王冠，身着鎧甲，執戈而立。此像全高228厘米。

大輪明王

遼

位于山西靈丘縣覺山寺塔底層内壁東北面。

寬150厘米。

圖中明王造型雄武，色澤古雅，猶存唐風。

明王

遼

位于山西靈丘縣覺山寺塔底層内壁。

圖中明王怒目圓睜。

飛天

遼

位于山西靈丘縣覺山寺塔底層内壁東北面上隅。

高50、寬76厘米。

圖中飛天卧雲而翔，面相豐滿。

飛天

遼-金

位于山西應縣佛宫寺釋迦塔底層内槽西南壁。

圖中飛天頭戴花冠，手捧花盤，足踏祥雲。

佛宫寺釋迦塔建于遼清寧二年（公元1056年），金明昌四年至六年（公元1193-1195年）增修。塔底層門道兩側和内壁周圍繪壁畫，面積304.65平方米。

供養天女

遼–金

位于山西應縣佛宫寺釋迦塔底層内槽門楣東格外側。

圖中天女頭梳雙髻，腰繫短裙，瓔珞纏于背部，雙手捧盤，内置寶瓶牡丹。人物像高152厘米。

供養天女

遼–金

位于山西應縣佛宫寺釋迦塔底層内槽門楣中格外側。

圖中天女頭戴花冠，身穿長裳，手捧盤，盤置如意，如意上飄雲氣。人物像高141厘米。

密迹金剛

遼－金

位于山西應縣佛宫寺釋迦塔底層南門内門道西壁。

高312、寬276厘米。

圖中前部爲密迹金剛，背後有侍從、鬼卒七軀，共同輔佐金剛護守佛門。金剛像高213厘米。

金剛

遼-金

位于山西應縣佛宫寺釋迦塔底層内槽北門東側八字墻内側上部。高242、寬186厘米。

圖中金剛右手持鐧，左手捧净瓶，瓶内仙氣飄出。金剛像高218厘米。

南方增長天王

遼-金

位于山西應縣佛宫寺釋迦塔底層内槽南門西側八字墻内側下部。

高320、寬165厘米。

圖中天王高冠金甲，右手持劍，怒目圓睜。

東方持國天王

遼–金

位于山西應縣佛宫寺釋迦塔底層内槽南門東側八字墻内側下部。

高315、寬163厘米。

圖中天王束髮戴冠，身着金甲，挎弓執箭。

托塔天王

北宋

位于河北定州市静志寺塔基地宫大門内東側。

圖中天王踞坐于小鬼身上，怒目威嚴，小鬼哀號驚恐。

像高66厘米。

静志寺塔基地宫完成于太平興國二年（公元977年），四壁繪壁畫。

天王

北宋

位于河北定州市静志寺塔基地宫大門内西側。

圖中天王身着戎裝，怒目圓睁，脚踏夜叉。像高61厘米。

捧盆侍女

北宋

位于河北定州市静志寺塔基地宫東壁。

東壁繪梵王禮佛圖，本圖爲其局部。侍女手捧一花盆。像高90厘米。

帝釋禮佛圖

北宋

位于河北定州市静志寺塔基地宫西壁。

高105、寬83厘米。

畫面表現釋迦牟尼死後，帝釋天偕同侍女禮佛的場面。

涅槃變

北宋
位于河北定州市净衆院塔基地宫北壁。
高100、寬260厘米。

圖中釋迦牟尼側卧于須彌臺上，雙目微閉，神態安詳。周圍是舉哀的釋迦父母和弟子。
净衆院塔基地宫四壁及頂部繪壁畫，繪于至道元年（公元995年）。

弟子舉哀

北宋

位于河北定州市净衆院塔基地宫北壁。

“涅槃變”西側上方之局部,圖中弟子像高50.5厘米。

天童舉哀

北宋

位于河北定州市净衆院塔基地宫北壁。

“涅槃變”畫面西側下方之局部。天童隨佛母自天宫降于佛涅槃處，以表達哀悼之情。天童作跳躍狀，表情也不似十大弟子悲哀。天童像高50厘米。

涅槃變之哀樂圖

北宋

位于河北定州市净衆院塔基地宫西壁。

高172、寬248厘米。

圖中表現爲釋迦牟尼涅槃而舉行的哀樂場面。天神六人分兩排站立，前四後二。前排由左至右依次爲執拍板、吹横笛、吹排簫、吹短管，後排爲擊四面聯鼓、吹竽。

涅槃變之哀樂圖

北宋

位于河北定州市净衆院塔基地宫東壁。

高172、寬248厘米。

圖中表現爲釋迦牟尼涅槃而舉行的哀樂場面。天神六人分兩排，錯落有序。前排四人由右至左依次爲持拍扳、吹笙、彈琵琶、吹管，後排爲吹横笛、吹排簫。

釋迦牟尼説法圖

北宋

位于山西高平市開化寺大雄寶殿西壁中部。

圖中釋迦牟尼端坐中央蓮座之上，手作説法印，背後有頭光和背光，上設寶蓋。佛前置樓閣三層，文殊、普賢菩薩兩側對坐，迦葉、阿難立于佛兩旁，周圍天王、弟子、菩薩和衆僧尼悉心聽法。説法圖兩側繪多種本生經變故事畫。

開化寺大雄寶殿四壁及栱眼壁現存宋代壁畫88.68平方米，由畫師郭發等人繪于紹聖三年（公元1096年）。

樓閣

北宋

位于山西高平市開化寺大雄寶殿西壁中部。

此圖爲“釋迦牟尼説法圖”中部下層之局部。樓閣三重，巍峨高聳。

供養菩薩

北宋

位于山西高平市開化寺大雄寶殿西壁中部。高40、寬29厘米。

此圖爲”釋迦牟尼説法圖”畫面右下方之局部。菩薩繪于佛座旁，半跪于蓮臺上，捧盤供養靈芝。

聽法菩薩與弟子

北宋

位于山西高平市開化寺大雄寶殿西壁中部。

高46、寬36厘米。

此圖爲“釋迦牟尼説法圖”畫面左下方之局部。衆菩薩和弟子雙手合十聽法。

華色比丘尼經變

北宋

位于山西高平市開化寺大雄寶殿西壁中部。

此經變講華色比丘尼禮佛，招惹他人嫉妒，因而招來種種不幸。本圖表現此經變的多種故事。

刑場

北宋

位于山西高平市開化寺大雄寶殿西壁中部。

高59、寬84厘米。

本圖爲西壁“華色比丘經變”的局部，表現一位婦女隨盜夫上刑場，將被處决的情景。釋迦牟尼于旁顯聖,此女未死。

轉輪王捨身供佛本生經變

北宋

位于山西高平市開化寺大雄寶殿西壁中部。

此圖爲西壁轉輪王捨身供佛本生經變的局部，表現轉輪王剜身供養的故事。

觀織

北宋

位于山西高平市開化寺大雄寶殿西壁北部。

本圖爲西壁善事太子本生的局部，表現善事太子及隨從觀看民婦織布的情景。

觀漁

北宋

位于山西高平市開化寺大雄寶殿西壁北部。

本圖爲西壁善事太子本生的局部，表現善事太子及隨從觀漁民以罾捕魚。

屠沽

北宋

位于山西高平市開化寺大雄寶殿西壁北部。

本圖爲西壁善事太子本生的局部，繪市井間一座賣肉的店鋪。

入海求珠

北宋

位于山西高平市開化寺大雄寶殿西壁北部。

本圖爲西壁善事太子本生的局部，表現善事太子欲入海求珠爲衆生求福，正向父母告别。海岸邊一帆船鼓帆待發。

神牛醫眼

北宋

位于山西高平市開化寺大雄寶殿西壁北部。

本圖爲西壁善事太子本生的局部，表現善事太子求得寶珠，但被其兄奪走，并被刺瞎雙目，後善事太子遇神牛，神牛用舌潤其雙目，太子得以復明。

榮歸

北宋

位于山西高平市開化寺大雄寶殿西壁北部。

本圖爲西壁善事太子本生的局部，表現善事太子復明後歸家，國王和王后驚喜，文武群臣皆來祝賀。

釋迦牟尼説法圖

北宋

位于山西高平市開化寺大雄寶殿西壁北部。

圖中釋迦牟尼結跏趺坐于須彌座上，雙手作説法印。菩薩、弟子等兩旁侍立聽法。

飛天

北宋

位于山西高平市開化寺大雄寶殿西壁北部。

爲“釋迦牟尼説法圖”右上之局部。飛天翔于雲端，雙手捧盤供養。

脅侍菩薩

北宋

位于山西高平市開化寺大雄寶殿西壁北部。

高55、寬42厘米。

爲“釋迦牟尼説法圖”左側之局部，佛右側脅侍菩薩。中間菩薩戴花冠，頸飾瓔珞，雙手合十聽法。

聽法菩薩

北宋

位于山西高平市開化寺大雄寶殿西壁北部。

“釋迦牟尼説法圖”畫面左下之局部。菩薩微顰眉，似在心動憐憫之意。

聽法菩薩

北宋

位于山西高平市開化寺大雄寶殿西壁北部。

爲“釋迦牟尼説法圖”畫面左下方之局部。該菩薩跪式，挺身昂首，聚精會神。

均提童子得道經變

北宋

位于山西高平市開化寺大雄寶殿北壁西部。畫面主體繪均提童子跪拜在佛前。

觀世音法會

北宋

位于山西高平市開化寺大雄寶殿北壁東部。

畫面繪觀世音普陀山法會的情景。圖中寺院重叠，樓閣密布，上層樓閣中央爲觀世音菩薩，閣前伎樂舞蹈，其餘庭院中置菩薩、天王、弟子和護法等。

樂舞伎

北宋

位于山西高平市開化寺大雄寶殿北壁東部。

爲“觀世音法會”畫面中部之局部。描繪觀音閣中院平臺及兩側勾欄環繞，臺上舞伎起舞，兩側樂隊伴奏。

鹿女本生

北宋

位于山西高平市開化寺大雄寶殿北壁西部。

高96、寬72厘米。

此圖爲北壁鹿女本生的局部。表現烏提延王請鹿女退兵的情節。

禮佛圖

回鶻高昌

出于新疆焉耆回族自治縣明屋寺院遺址。

殘高66、寬78.8厘米。

畫面中佛弟子上下兩排，雙手均合十禮拜。

現藏英國倫敦大英博物館。

寫經圖

回鶻高昌

出于新疆焉耆回族自治縣明屋寺院遺址。

殘高69、寬49厘米。

圖中繪坐于山間洞窟寫經的僧人。

現藏英國倫敦大英博物館。

寫經圖

回鶻高昌

出于新疆焉耆回族自治縣明屋寺院遺址。

殘高70、寬23厘米。

圖中僧人坐于洞窟中，一手持筆，一手持菩提葉形書板，作寫字狀。

現藏英國倫敦大英博物館。

僧人

回鶻高昌

出于新疆焉耆回族自治縣明屋寺院遺址佛殿東壁。

殘高76、寬38厘米。

圖中坐姿年長僧人和跪坐姿年輕僧人均合掌作禮拜狀。天女乘雲而下。

現藏英國倫敦大英博物館。

講經圖

回鶻高昌

出于新疆焉耆回族自治縣明屋寺院遺址佛殿東壁。

殘高71、殘寬45.5厘米。

畫面左側一年長坐姿僧人手持筆和菩提葉，作講經狀。幾位年輕僧人跪坐于前，作記録和禮拜狀。上部一天女乘雲而下。

現藏英國倫敦大英博物館。

拜佛圖

回鶻高昌
出于新疆焉耆回族自治縣明屋寺院遺址佛殿西壁。
殘高54、殘寬43厘米。
圖中上部天人乘雲而下，下部左側一僧人坐姿向佛禮拜，右側一俗裝少年亦作禮拜狀。
現藏英國倫敦大英博物館。

禮佛圖

回鶻高昌
出于新疆焉耆回族自治縣寺院遺址。
殘高60、殘寬42厘米。
上下排共有六位僧侶，皆合十禮拜。
現藏俄羅斯艾爾米塔什博物館。

説法圖（局部）

回鶻高昌
出于新疆焉耆回族自治縣寺院遺址。
殘高108、殘寬101厘米。
圖中繪聽法的菩薩、諸天和僧侣。
現藏俄羅斯艾爾米塔什博物館。

供養人

回鶻高昌

位于新疆吉木薩爾縣北庭故城西大寺配殿群105號配殿西壁。

寬87厘米。

圖中兩人身側各有回鶻文墨書題框，據此可知男者爲長史巴爾楚克·托呼鄰，女者爲依停赤公主。

分舍利圖

回鶻高昌

位于新疆吉木薩爾縣北庭故城西大寺配殿群105號配殿西壁。

分舍利圖是該寺遺址中保存最完整的大型壁畫之一，全長440厘米。本圖爲圖北側的王者出行場面。表現佛涅槃後，國王率隊伍去争奪佛舍利途中行進的場景。

供養比丘

回鶻高昌

位于新疆吉木薩爾縣北庭故城西大寺配殿群103號配殿大臺座東面。

高48、寬23厘米。

畫面比丘頭戴紅格僧帽，身着紅色圓領内衣，内穿袈裟，最外面還披一件袈裟。

供養菩薩

回鶻高昌

位于新疆吉木薩爾縣北庭故城西大寺正殿東外側下層101號洞龕北壁右上部。

高42、寬32厘米。

圖中菩薩合掌面向主尊。

脅侍菩薩

回鶻高昌

位于新疆吉木薩爾縣北庭故城西大寺南配殿東側下層第7龕北壁。

圖中菩薩面向主尊，神態安詳。

亦都護供養像

回鶻高昌

出土于新疆吉木薩爾縣北庭故城西大寺正殿門側。

據回鶻文榜題可知，畫面右側供養者爲回鶻王亦都護。其手持貼金長莖花，冠服皆爲金色。

經變畫（上圖）

回鶻高昌

位于新疆吉木薩爾縣北庭故城西大寺東配殿南壁。

圖中佛坐于中央方座上，兩側侍立菩薩和弟子，佛座前兩身菩薩。畫面繪多身供養人像。

日 月 獸面

西夏

位于寧夏銀川市賀蘭山東麓拜寺溝方塔第四級塔身北壁。

壁正中繪日、月，其下側繪三串流蘇向左右環繞至兩獸面下側，每串流蘇上串七顆珠。

岩山寺文殊殿西壁壁畫示意圖

佛本行經變

金

位于山西繁峙縣岩山寺文殊殿西壁。

高310、長900厘米。

此圖爲文殊殿西壁壁畫，描繪釋迦牟尼從受胎到成佛的過程。西壁上沿南隅有題記一方："大定七年前□□二十八日畫了，靈□院□□，畫匠王逵，年陸拾捌。"表明岩山寺壁畫由畫師王逵完成于大定七年（公元1167年），四壁現存壁畫197.98平方米。

宮殿

金

位于山西繁峙縣岩山寺文殊殿西壁中部。

高120、寬96厘米。

畫面表現釋迦牟尼之父净飯王宮殿，殿閣巍峨，迴廊環繞。

擊鼓報喜

金

位于山西繁峙縣岩山寺文殊殿西壁中部。

畫面表現釋迦牟尼降生後，宮女擊鼓報喜的情景。

百官朝賀

金

位于山西繁峙縣岩山寺文殊殿西壁中部。

畫面表現凈飯王得太子，文武百官朝賀的情景。人物像高16-22厘米。

隔城投象（上圖）

金

位于山西繁峙縣岩山寺文殊殿西壁中部。

畫面表現年輕的釋迦牟尼力大無比，手托白象抛于城外的故事。人物高17厘米，象長22厘米。

射九重鐵鼓

金

位于山西繁峙縣岩山寺文殊殿西壁中部。

高55、寬85厘米。

畫面表現釋迦牟尼年輕時武藝高强，騎于馬上勁射九重鐵鼓的故事。

出游西門

金

位于山西繁峙縣岩山寺文殊殿西壁中部。

畫面表現釋迦牟尼出家修行前乘馬出游，見人受生、老、病、死之苦而漸生感悟之景。

釋迦牟尼乘馬通高25厘米，侍者高16厘米。

離宫出走

金

位于山西繁峙縣岩山寺文殊殿西壁北部。

寬33厘米。

畫面表現四天王各捧一馬腿，接應釋迦牟尼離城出家。

阿斯歸算罷得寶

金

位于山西繁峙縣岩山寺文殊殿西壁中部。

畫面表現的是佛本行經變的一段内容。佛經中講一位名叫阿斯歸的神人能測算法寶的來臨。畫面爲阿斯歸正在測算，衆人在一旁圍觀的情景。人物像高13-16厘米。

迦毗羅衛國王宮南門城樓

金

位于山西繁峙縣岩山寺文殊殿西壁南側。

城樓高137、寬66厘米。

圖中城樓建于高大的磚砌城墻之上。樓下墻墩凸出，闢門三重；樓上設平座勾欄。城樓前兩隅各設一闕樓。

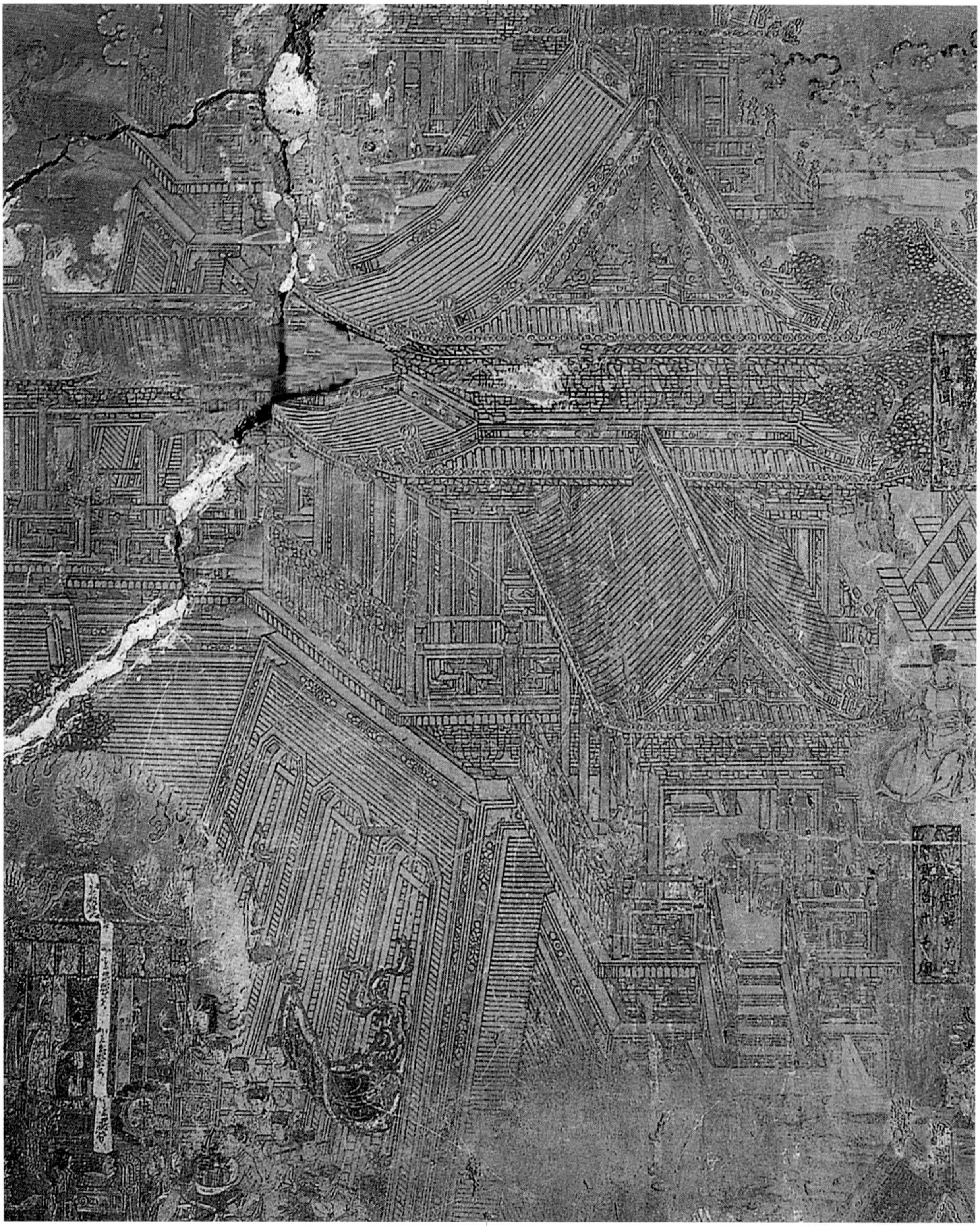

釋迦牟尼像

金

位于山西繁峙縣岩山寺文殊殿東壁中部。

圖中釋迦牟尼結跏趺坐，手作説法印，部分位置瀝粉貼金。佛像高41厘米。

後宮祭祀

金

位于山西繁峙縣岩山寺文殊殿東壁中部。

圖中表現的是波羅奈國後宮祭祀的情景。畫面中心的高臺上建殿宇三楹。人物高16–18厘米。

天宮樓閣

金

位于山西繁峙縣岩山寺文殊殿東壁中部。

圖中主殿與配殿重檐九脊頂，山門與狹屋單檐歇山或懸山式頂，營造規整。整組樓閣高62、寬68厘米。

水推磨坊

金

位于山西繁峙縣岩山寺文殊殿東壁北部。

此圖爲東壁鬼子母本生經變圖的一部分，再現了宋金時期舂米、磨面的工具和操作過程。人物高15–17厘米。

七級浮圖

金

位于山西繁峙縣岩山寺文殊殿北壁東梢間。

高345、寬125厘米。

圖中繪塔院一所，院當中立八角形七級樓閣式寶塔一座，塔刹周圍佛光四射。

武官與儀衛

金

位于山西繁峙縣岩山寺文殊殿東壁南側。

此圖爲東壁波羅奈國王臨朝議事圖之局部。畫面表現侍立于國王左側的一組武官與儀衛。人物高18-21厘米。

敵樓與白露屋

金

位于山西繁峙縣岩山寺文殊殿北壁東梢間中部。

圖中城墻上設木構敵樓，頂部中心置白露屋。白露屋是用于警戒瞭望的小窩棚。敵樓高20、白露屋高11厘米。

海市蜃樓

金

位于山西繁峙縣岩山寺文殊殿北壁西次間窗檻下方。

此圖描繪的是五百商人入海求珠遇風墜羅刹國的一個場面。畫中殿閣比例適度，透視準確。樓臺高23厘米。

釋迦牟尼說法圖

金

位于山西朔州市崇福寺彌陀殿西壁南鋪。

高572、寬705厘米。

圖中釋迦牟尼居中坐于仰蓮座上，手施說法印。佛兩側二菩薩侍立，背光兩側各一身飛天。

崇福寺彌陀殿建于皇統三年（公元1143年）。四壁繪壁畫，現存金代壁畫321平方米。

觀世音菩薩

金

位于山西朔州市崇福寺彌陀殿西壁南鋪。

爲“釋迦牟尼説法圖”佛左側脅侍之觀世音菩薩。菩薩頭戴花冠，全身佩瓔珞，手持蓮花。菩薩像高364厘米。

飛天（上圖）

金

位于山西朔州市崇福寺彌陀殿西壁南鋪。

本圖爲“釋迦牟尼説法圖”佛左上側之飛天。飛天右手上揚，左手托一盤。像高113、寬203厘米。

飛天

金

位于山西朔州市崇福寺彌陀殿西壁。

圖中飛天右手已殘，左手托一盤。像高104、寬193厘米。

釋迦説法圖

金

位于山西朔州市崇福寺彌陀殿西壁中鋪。

圖中佛坐于仰蓮座上，佛座蓮瓣和背光流雲施青緑彩，佛袈裟染朱紅。佛像通高569厘米。

普賢菩薩

金

位于山西朔州市崇福寺彌陀殿西壁中鋪南側。圖中菩薩身後有六角形頭光，手捧經書。像高374厘米。

地藏王菩薩

金

位于山西朔州市崇福寺彌陀殿東盡間南壁下部東端。

圖中菩薩結跏趺坐，頭戴花冠，項飾瓔珞，左手捧鉢于腹前。菩薩像高158厘米。

飛天

金

位于山西朔州市崇福寺彌陀殿東壁南鋪北側上隅。

高82、寬210厘米。

圖中飛天手托月光鏡，鏡内繪“玉兔搗藥”。

五佛赴會

金

位于山西朔州市崇福寺彌陀殿西壁中鋪南側上隅。

高126、寬290厘米。

圖中兩縷流雲捲成兩座佛壇，五佛分坐其中。

日想觀

金

位于山西朔州市崇福寺彌陀殿北壁門楣。

韋提希夫人的兒子受惡人唆使，加害自己的國王父親，并軟禁了母親韋提希。韋提希夫人悲痛欲絶求助于佛陀，佛陀向她開示十六種觀想之法往生西方極樂世界，“日想觀”爲其中之一種。圖中韋提希夫人坐觀落日，雙手合十。

千手千眼觀世音菩薩

金

位于山西朔州市崇福寺彌陀殿西盡間南壁。

高573、寬450厘米。

此圖所繪觀世音實有千手千眼，各臂從軀體生出，頭有十八面，手執各種法寶。下隅兩側有婆藪天和吉祥天脅侍。

千手千眼觀世音菩薩（手之局部）

金

位于山西朔州市崇福寺彌陀殿西盡間南壁。

此圖爲“千手千眼觀世音菩薩”千手的局部，位于菩薩像東側。法寶有横笛、法臺、殿閣、石臼、仙桃、石榴、葫蘆、牡丹、日星、寶珠、卧馬、長鐧、海池和寶劍等。

婆藪天

金

位于山西朔州市崇福寺彌陀殿西盡間南壁東側下隅。

高190、寬72厘米。

婆藪天也稱世親菩薩，是觀世音二十八部衆之一。圖中婆藪天爲老者，神采奕奕，頗具仙翁風度。

吉祥天

金

位于山西朔州市崇福寺彌陀殿西盡間南壁西側下隅。

吉祥天亦稱功德天，是千手千眼觀世音菩薩二十八部衆之一。圖中吉祥天頭戴火焰紋如意花冠，肩披帔帛，項佩雲牌，拱手合十禮拜。像全高208厘米。

釋迦牟尼説法圖

公元11–12世紀
位于西藏扎囊縣扎塘寺佛殿南壁西側上部。
高176、寬246厘米。
畫面布局以釋迦牟尼佛爲中心，佛兩側繪菩薩和弟子，圖左下角繪三位供養人。

供養人（上圖）

公元11-12世紀

位于西藏扎囊縣扎塘寺佛殿西壁南側下部。

高62厘米。

圖中在釋迦牟尼佛蓮座下的忍冬和纏枝捲草紋兩側各繪出兩身供養人。兩側各有一身菩薩像。在壁畫中繪供養人像，西藏寺院中僅見于扎塘寺。

供塔菩薩

公元11-12世紀

位于西藏扎囊縣扎塘寺佛殿西壁北側下部。

高87、寬143厘米。

畫面中央爲釋迦牟尼蓮花座的下部分，左、右兩側各繪有五尊菩薩。蓮花之上部各繪一白色蹲獅，相背回首。蓮花之下部，供有三座小塔，兩側各有一尊供塔菩薩。

菩薩

公元11–12世紀

位于西藏扎囊縣扎塘寺佛殿西壁南側下部。

畫面中六尊菩薩，除上排右側一人手執白拂外，其餘皆雙手合十或結普供養印。

朝元圖

元

傳出于山西平陽府（治今山西臨汾）某道觀東壁。

高304、寬1025.4厘米。

圖中以中宮紫微北極大帝、太上昊天玉皇上帝和后土皇地祇爲中心。前導爲天蓬大元帥、翊聖黑煞將軍、北斗七星；後隨爲五星和五行。

現藏加拿大多倫多市皇家安大略博物館。

朝元圖

元

傳出于山西平陽府（治今山西臨汾）某道觀西壁。

高306.5、寬1042.1厘米。

圖中以勾陳星宮天皇大帝、東華上相木公青童道君和白玉龜臺九靈太真金母元君爲中心。前導爲天猷副元帥、佑聖真武、九宮太乙；後隨爲十二元神。

現藏加拿大多倫多市皇家安大略博物館。

青龍寺腰殿西壁壁畫

元

位于山西稷山縣青龍寺腰殿西壁。

畫面繪帝釋天、梵天、鬼子母和護法神將等多組神祇。此圖爲西壁壁畫局部。

青龍寺元代建築建于至元年間（公元1271－1294年），至正年間（公元1341－1368年）修葺。元代壁畫主要保存于腰殿四壁和後殿内東西山墻，面積186.08平方米。

帝釋天聖衆

元

位于山西稷山縣青龍寺腰殿西壁中部上層。

帝釋天原爲印度神話的最高天神，統領其他諸天。後皈依佛教，成爲護法天神。圖中帝釋天頭戴五梁冠，胸前垂佩飾，左手持盞，右手下垂取物。左右玉女相伴，身後神將護衛。右下方侏儒舉盤。帝釋天像高80厘米。

梵天聖衆

元

位于山西稷山縣青龍寺腰殿西壁。

梵天原爲印度神話的主神之一，既是創造之神，又是毀滅之神。後皈依佛教，成爲護法天神。圖中梵天着后妃裝，有小髭，雙手合十。梵天像高78厘米。

日宫天子

元

位于山西稷山縣青龍寺腰殿西壁。

圖中日宫天子着帝王裝，冠上有金烏，雙手持笏板。

護法神將

元

位于山西稷山縣青龍寺腰殿西壁中部。

圖中護法神將身着金甲，手持長劍。其後爲侍者。神將高73厘米。

鬼子母衆

元

位于山西稷山縣青龍寺腰殿西壁中部。

鬼子母原爲惡神，專食小兒，後受佛度化，皈依佛門，成爲保護兒童的善神。圖中鬼子母花冠長裳，迎風而行，其周圍有四孩童相隨。鬼子母像高69厘米。

元君聖母

元

位于山西稷山縣青龍寺腰殿西壁。

元君，全稱天仙聖母碧霞元君，爲東岳大帝之女。圖中聖母頭戴綬花冠，身着長袍，手執仙扇。

四海龍王衆

元

位于山西稷山縣青龍寺腰殿西壁。

圖中東西南北四海龍王均着朝服，後三位持笏板，前一位雙手整冠，侍者舉笏板在旁邊侍奉。

十二元辰

元

位于山西稷山縣青龍寺腰殿西壁下部。

十二元辰又稱十二生肖。圖中爲十二元辰中的四神，頭上分别戴梁冠、雲形冠和太子冠，足穿雲頭履，手執法器。

五通仙人衆

元

位于山西稷山縣青龍寺腰殿西壁。

五通，是指天眼通、天耳通、他心通、宿命通和神境通。圖中爲五通仙人中之三人：中年者戴仙人冠，手彈雙丸；老年者手持拂塵；青年者手持書卷。

五方五帝神衆

元

位于山西稷山縣青龍寺腰殿西壁。

五帝，原爲古神話中的五位天帝，後道教尊奉五帝爲天神。圖中五帝均着帝王裝，手持笏板。

菩薩

元

位于山西稷山縣青龍寺腰殿東壁。

圖中菩薩戴高花冠，身繞帔帛。

地居飛空

元

位于山西稷山縣青龍寺腰殿南壁東部下隅。圖中地居飛空是佛教對鳥禽的神喻，意思是鳥禽衹要誠心服法，積得善因，來世亦可得福報。圖中繪一雄鷹栖于古松之上。

往古賢婦烈女衆

元

位于山西稷山縣青龍寺腰殿南壁西部。圖中形象有宮娥、女冠、女尼和賢孝等。人物高60–70厘米。

歐漫德伽明王

元

位于山西稷山縣青龍寺腰殿南壁西部。

此明王又稱大威德明王，爲五大明王西方之尊，是無量壽佛的忿怒身。圖中明王三面六臂，每面三目，呈忿怒狀。

地府（上圖）

元

位于山西稷山縣青龍寺腰殿北壁。

高109、寬159厘米。

圖中接引僧執金鐘在前引導，面善大師執戈在後擋住急待轉世的鬼魂，中間孟婆正端上迷魂湯準備給投生的鬼魂服下，使其忘却前世。

面善大師和亡魂

元

位于山西稷山縣青龍寺腰殿北壁。

位于地府圖左上側。圖中亡魂均面帶愁容，形象凄慘。

吉祥天女

元

位于山西稷山縣青龍寺腰殿扇面墻背面。

圖中天女戴花冠，胸襟外佩帶。

脅侍菩薩

元

位于山西稷山縣青龍寺後殿西壁中部。

高218、寬163厘米。

此菩薩爲彌勒佛的右脅侍菩薩，頭戴花冠，項飾瓔珞，袒胸露腹，單足下垂踏蓮臺，右手持經卷。

七佛圖（上圖）

元

出于山西稷山縣興化寺中殿南壁。

高320、寬1810厘米。

興化寺早毁，寺内壁畫繪于大德二年（公元1298年），作者爲著名畫師朱好古及門人張伯淵。此“七佛圖”爲北京大學研究所國學門考古室于1926年從古董商手中以巨資購得，建國後交故宫博物院保存。1959年將五十餘方割裂的壁畫拼合復原。圖中七尊佛像并坐于束腰須彌座上，身着紅、緑、藍三色袈裟。

現藏故宫博物院。

坐佛

元

出于山西稷山縣興化寺中殿南壁。

高320、寬404厘米。

此圖爲“七佛圖”左起第三尊坐佛。佛結跏趺坐，左手掌向上置于腿上，右手掌心向下舉于胸前。佛座旁立持蓮菩薩，頭光兩側有童子和迦陵頻伽。佛坐像高166厘米。

現藏故宫博物院。

供養菩薩

元

出于山西稷山縣興化寺中殿南壁。

高172、寬128厘米。

爲“七佛圖”中右起第二尊佛左下方供養菩薩。菩薩右手執念珠，左手托飄帶，服飾華美。像高135厘米。

供養菩薩

元

出于山西稷山縣興化寺中殿南壁。

高165、寬128厘米。

爲“七佛圖”中左起第二尊佛右下方供養菩薩。菩薩雙手捧白練。像高137厘米。

太子誕生

元

出于山西稷山縣興化寺中院腰殿。

高45、長54厘米。

圖中表現太子落地即語，指天指地，侍女們驚奇不已，鼓掌喝彩。此畫爲采集所得。

現藏山西省稷山縣文化館。

彌勒説法圖

元

出于山西稷山縣興化寺後殿。

高521.6、寬1111厘米。

畫面主像爲一佛二菩薩。佛倚坐，手作説法印。菩薩和弟子侍立兩旁。佛像頭光上爲帶翼羽尾的迦陵頻伽游于雲端。畫面兩側主要爲世俗裝的供養人形象。

現藏加拿大多倫多市皇家安大略博物館。

祈雨圖

元

位于山西洪洞縣水神廟明應王殿西壁中部。

高327、寬716厘米。

畫面上水神明應王居中，頭戴通天冠，端坐于龍椅之上。兩側旌幡招展，文武官吏、玉女、鬼卒恭立。階下一官吏，手捧祈雨文書，跪奏祈雨。

水神廟明應王殿建于延祐六年（公元1319年）。殿内四壁繪壁畫，面積222.59平方米。

侍吏

元

位于山西洪洞縣水神廟明應王殿西壁中部。

爲“祈雨圖”明應王左側下層的侍吏，均作朝謁狀。

敕建興唐寺

元

位于山西洪洞縣水神廟明應王殿西壁南部。

高168、寬224厘米。

據方志載，李世民太原起兵，經霍山與宋老生作戰，許願若得勝當于此建寺，後果得應驗，遂詔敕建寺，名曰興唐。圖中表現一隊人馬行進在山中，隊中有馬馱亭，亭後爲兩位高僧和乘馬的唐太宗，周圍文武群臣隨行。

捶丸

元

位于山西洪洞縣水神廟明應王殿西壁北部。

圖中場地一側有一球窩，兩紅袍官吏各執球杖俯身觀察，正考慮擊球辦法。這是中國現存有關捶丸運動的最早圖録。

對弈

元

位于山西洪洞縣水神廟明應王殿西壁北部上層。

圖中兩位官吏于山中林木間對坐下棋，棋盤後四位侍者站立觀棋，或捧酒，或持扇。

太宗千里行徑圖

元

位于山西洪洞縣水神廟明應王殿南壁西側下層。

高320、寬300厘米。

圖中表現唐太宗李世民出行，文武百官在橋頭送行。

雜劇

元

位于山西洪洞縣水神廟明應王殿南壁東次間。

圖中有演奏人員十一人，分前後兩排，樂隊和演員同臺獻藝。演員可分出生、旦、净、末、丑等行當，主要演員忠都秀是女扮男裝。

園中梳妝

元

位于山西洪洞縣水神廟明應王殿東壁北部上層。

畫面中央爲一位女子雙手上舉，作梳妝模樣，其後面侍女或抱盒，或捧盤。人物像高121–134厘米。

買魚

元

位于山西洪洞縣水神廟明應王殿東壁北部。

畫面前部一官員正在持秤秤魚的重量，賣魚的漁翁手拎兩條魚笑臉于旁等候。畫面中部放一張桌子，桌上放酒器，桌下放木箱盛水果。桌旁兩人正看着買魚的官員，桌後兩人一把盞一捧杯，似正在喝酒。人物像高140厘米。

王宮尚食圖

元

位于山西洪洞縣水神廟明應王殿北壁東次間。

畫面有帷幔、格扇，似爲膳房前廳，九名侍女圍桌而站，各司其職。前沿下部右側，有兩侍女正在爐上煮水，一侍女一手穩住壺把，另一手以袖遮頭。人物像高182–198厘米。

王宮尚寶

元

位于山西洪洞縣水神廟明應王殿北壁西次間。

圖中侍女七人，分别抱琴、持花、捧瓶、捧桃和托盞盤等。人物像高183-203厘米。

善財参見摩耶佛母

元

位于山西洪洞縣廣勝下寺大雄寶殿東山墻上部。

高66厘米。

圖中佛母端坐，頭戴花冠，身着長裳。兩宫女執羽扇侍于兩側，善財童子于摩耶佛母左側雙手合十，鞠躬参拜。殿内四壁原繪滿壁畫，現僅存一部分善財童子五十三参圖，其餘被盗賣至國外。

遍友童子師

元

位于山西洪洞縣廣勝下寺大雄寶殿東山墻上部。

高81、寬81厘米。

圖中爲善財童子向一高僧参拜學道。

神荼

元

位于山西芮城縣永樂宫龍虎殿北壁東段。

傳説中神荼是能治服惡鬼的神，後世爲門神，多以白臉出現。

永樂宫龍虎殿建于至元三十一年（公元1294年）。後槽兩梢間的三面墻繪壁畫，面積80平方米，但殘損嚴重。

飛天

元

位于山西芮城縣永樂宫三清殿神龕内北壁。

圖中飛天手捧靈芝，飛翔于雲氣之中。

三清殿是永樂宫的主殿。殿内四壁及扇面墻兩側均繪滿壁畫，面積429.56平方米，爲泰定二年（公元1325年）河南洛陽畫師馬君祥等人所繪。

南極長生大帝

元

位于山西芮城縣永樂宫三清殿神龕東壁外側。

圖中畫像十四尊，以南極長生大帝爲主，玄元十子之一捧經書側身禀報。大帝畫像高300厘米。

玉女

元

位于山西芮城縣永樂宫三清殿神龕西壁外側。

圖中玉女頭戴花冠，上着廣袖衫，下穿長裙。身旁背身人物爲玄元十子之一。

白虎星君

元

位于山西芮城縣永樂宮三清殿南壁西段。

神話中白虎是西方之神，後爲道教奉爲白虎星君，與青龍星君相對稱。白虎星君在前，侍從執斧鉞隨其側。

三清殿北壁東部壁畫

元

位于山西芮城縣永樂宫三清殿北壁。圖中以中宫紫微北極大帝爲主像，環繞其左右者爲北斗七星、二十八宿、十一曜及歷代傳經法師。

玄元十子之一

元

位于山西芮城縣永樂宮三清殿神龕西壁外側。

道教稱老子的十位弟子爲玄元十子。圖中人物爲一老者形象，爲玄元十子之一。

北斗七星君

元

位于山西芮城縣永樂宮三清殿北壁東段。

北斗七星君是道教尊奉的七位星神，即北斗七星。圖中人物爲男像，爲北斗七星君之一。

水星

元

位于山西芮城縣永樂宮三清殿北壁東段。

圖中水星爲女像，左手執札，右手執筆，頭上飾猿。

月孛星

元

位于山西芮城縣永樂宮三清殿北壁東段。

月孛爲九曜之一。金木水火土五星稱爲五曜，加上羅睺、計都、月孛和紫氣合稱爲九曜。圖中月孛居水星右側，綠眼獠牙，頸上繞長蛇。

金星

元

位于山西芮城縣永樂宮三清殿北壁東段。

金星又叫太白、長庚、啓明，傍晚出現在西方叫長庚，黎明出現在東方則叫啓明。圖中金星爲女相，頭戴鳳冠。

天地水三官

元

位于山西芮城縣永樂宮三清殿北壁西段。

圖中天官喜相，地官威相，水官怒相。

玉女

元

位于山西芮城縣永樂宮三清殿北壁西段。

圖中玉女爲少女形象，手托碗，内放鮮花。

天蓬大元帥

元

位于山西芮城縣永樂宮三清殿東壁。

天蓬大元帥與天猷副元帥、翊聖黑煞將軍、佑聖真武同爲紫微北極大帝之四將。圖中天蓬大元帥執三天火印及金鐘，二頭四臂。

翊聖黑煞將軍

元

位于山西芮城縣永樂宮三清殿東壁。

圖中翊聖黑煞將軍披髮、仗劍、跣足，髮上束帶。

力士

元

位于山西芮城縣永樂宮三清殿東壁。

圖中力士身着黄衫，手持斧。

飛天神王 天丁 力士

元

位于山西芮城縣永樂宫三清殿東壁。

中間持瓜斧者爲飛天神王，周圍護衛者爲天丁和力士。

梓潼文昌帝君

元

位于山西芮城縣永樂宫三清殿東壁。

梓潼文昌帝君亦稱文曲星，爲主宰功名利禄之神。圖中文昌帝君頭戴硬脚幞頭，文官裝束。

太上昊天玉皇大帝

元

位于山西芮城縣永樂宫三清殿東壁。

圖中玉皇大帝身着天子衮冕，龍袍玉帶，端坐于蟠龍寶座。玉女、衆神分侍兩旁。

倉頡

元

位于山西芮城縣永樂宫三清殿西壁。

倉頡是傳説中文字的創始人。圖中倉頡爲一老者形象，面生六目。

三清殿西壁壁畫

元

位于山西芮城縣永樂宫三清殿西壁。

高440、寬1556厘米。

西壁之畫以東華上相木公青童道君（又稱東王公）和白玉龜臺九靈太真金母元君（又稱西王母）爲主像。衆像分侍兩側。東華木公身着帝王裝，像高315厘米；金母元君身着帝后裝，像高309厘米。

玉女

元

位于山西芮城縣永樂宫三清殿西壁。

該玉女爲東華木公身後侍女，手捧碗，内放仙果。

天猷副元帥 佑聖真武

元

位于山西芮城縣永樂宮三清殿西壁。

圖中天猷副元帥三頭六臂，二手舉劍，二手捧杵，一手執鉞，一手持金鐘。

白玉龜臺九靈太真金母元君

元

位于山西芮城縣永樂宮三清殿西壁。

白玉龜臺九靈太真金母元君又稱西王母。圖中西王母頭戴“坤”卦鳳冠，四侍女列于左右。

玉女

元

位于山西芮城縣永樂宫三清殿西壁中部。

該玉女爲金母元君右側侍女，頭戴花冠，雙手持裝有龍旃的圓盤。

玉女

元

位于山西芮城縣永樂宮三清殿西壁。

該玉女爲金母元君左側侍女，手捧珊瑚。

太乙諸神

元

位于山西芮城縣永樂宫三清殿西壁。

太乙爲金母元君的使者，共十人。圖中太乙頭戴竪梁冠，身着長袍，足蹬雲頭履。像高228厘米。

天神

元

位于山西芮城縣永樂宫三清殿西壁。

圖中天神怒目圓睁，手持笏板。

八卦諸神

元

位于山西芮城縣永樂宫三清殿西壁。

八卦神是太乙神的使者，位于太乙諸神上方。八卦神頭額部的圓光内，繪八卦形。

雷部衆神

元

位于山西芮城縣永樂宫三清殿西壁。

道教捉鬼驅邪，使用“五雷法”，以雷擊電觸爲咒。雷部衆神受太乙神節制。

雷公

元

位于山西芮城縣永樂宫三清殿西壁。

雷公形象爲老者，連環鼓持于胸前，張口嘶喊，似正行雷。

電母

元

位于山西芮城縣永樂宫三清殿西壁。

電母在雷公身後，頭戴花冠，髮捲雙髻，雙眉緊鎖。

二仙論道

元

位于山西芮城縣永樂宫純陽殿扇面墻背面。

圖中繪鍾離權度化呂洞賓前的論道情景。鍾離權諄諄教導，呂洞賓洗耳恭聽。

永樂宫純陽殿四壁及扇面墻背面繪壁畫，面積212.62平方米，繪于至正十八年（公元1358年）。

吕洞賓

元

位于山西芮城縣永樂宫純陽殿扇面墻背面。

爲“二仙論道”之局部。吕洞賓，原名吕岩，號純陽子。唐代河中府永樂鎮（今山西永濟）人。曾中進士，當過地方官吏，後弃世入道，隱居終南山。民間流傳很多吕洞賓的傳説故事，爲“八仙”之一。

松仙

元

位于山西芮城縣永樂宮純陽殿北門西側。

松仙爲吕洞賓度化成仙。圖中松仙頭生松枝。圖中有至正十八年（公元1358年）季秋施鈔署名的題記。

柳仙

元

位于山西芮城縣永樂宮純陽殿北門東側。

柳仙爲吕洞賓度化成仙。傳説柳仙本姓郭，年高體健，自號柳青，度化後與桃仙結爲配偶。圖中柳仙頭生枝葉。

道觀醮樂

元

位于山西芮城縣永樂宮純陽殿南壁西段。

本圖與東段道觀齋供圖相對應。近景五人奏樂，兩人抬供桌；中景五人執扇和幡等；遠景在石洞内一人捧果而立，一人蹲踞盥洗。

奏樂

元

位于山西芮城縣永樂宮純陽殿南壁西段。

圖中場面爲“道觀醮樂”畫面右下之局部。畫面五人分別演奏橫笛、竽、鈸、束腰鼓和拍板。

道觀齋供

元

位于山西芮城縣永樂宫純陽殿南壁東段。

圖中繪多位道童在準備齋供的場景。畫面上方題記：“禽昌朱好古門人古新遠齋男寓居絳陽待詔張遵禮、門人古新田德新洞縣曹德敏，至正十八年（公元1358年）戊戌季秋重陽日工畢謹志。”

備齋道童

元

位于山西芮城縣永樂宫純陽殿南壁東段。
圖中場面爲“道觀齋供”畫面左側之局部。

八仙過海（上圖）

元

位于山西芮城縣永樂宫純陽殿北壁當心間門楣上隅。

圖中描繪的是八仙爲王母祝壽，渡海時各顯其能的情景。

奏樂童女

元

位于山西芮城縣永樂宫純陽殿神龕内栱眼壁。

共有奏樂童女八身，頭飾各不相同，服飾以飛天服爲主。八人分别執古板、吹笙、吹螺號、彈古琴、擊鐘、打鼓、吹笛和擊雲鑼，神采各异。本圖爲吹笛童女。

奏樂童女

元

位于山西芮城縣永樂宮純陽殿神龕内栱眼壁。

本圖爲彈琴童女。

奏樂童女

元

位于山西芮城縣永樂宮純陽殿神龕内栱眼壁。本圖爲吹笙童女。

舞蹈童子

元

位于山西芮城縣永樂宮純陽殿神龕内栱眼壁。内槽四面，每面繪三身舞蹈童子，總共應有十二身，其中一幅缺損。本圖童子胸繫兜肚，甩袖跳躍。

舞蹈童子

元

位于山西芮城縣永樂宮純陽殿神龕内栱眼壁。

本圖童子披帛，踢踏跳躍，神態優美异常。

瑞應永樂

元

位于山西芮城縣永樂宮純陽殿東壁。

畫面表現呂洞賓降生後在盆中洗浴，周圍放出五彩光芒，空中白鶴翔于雲端。院外衆人仰天驚詫。

慈濟陰德

元

位于山西芮城縣永樂宮純陽殿東壁。

畫面表現吕洞賓在灾荒之年捨財救濟飢民的情景。

度化何仙姑

元

位于山西芮城縣永樂宮純陽殿東壁。

畫上榜題述畫中内容，講何仙姑幼年入山采藥，遇吕洞賓，受其度化。

武昌貨墨

元

位于山西芮城縣永樂宮純陽殿東壁。

畫上榜題述畫中的內容，講呂洞賓在武昌以墨化紫金的仙迹故事。畫面主要表現呂洞賓隱去後，人們遍尋不見的驚奇神態。畫中留有黃鶴樓的建築形象。

廬山放生

元

位于山西芮城縣永樂宫純陽殿北壁東段。

畫上榜題已毁，内容當爲《通紀》所記“廬山放生”，本圖爲局部。畫中道人吕洞賓正將仙藥捺入魚腹中，旁邊水池裏已有三條服藥後復活的魚正悠然游去。

夜宿馬庭鸞府

元

位于山西芮城縣永樂宫純陽殿北壁東段。

全幅由五幀畫面組成，表現吕洞賓在馬庭鸞府食狗肉，又使狗復活，以炫示法力的故事。本圖爲其中一幀，通過描繪兩婦人拿鑰匙、點蠟燭、送枕頭以布置睡房來體現吕洞賓夜宿馬府的情節。

度化孫賣魚

元

位于山西芮城縣永樂宫純陽殿北壁東段。

表現吕洞賓度化名叫孫賣魚之人的故事。

游寒山寺

元

位于山西芮城縣永樂宮純陽殿北壁東段。

畫上榜題述畫中内容，講吕洞賓游寒山寺，夜間風大，塔鈴叮鐺聒耳；吕洞賓禁其響，令衆僧驚訝仰觀，後取舊换新鈴，亦不復響。

救苟婆眼疾

元

位于山西芮城縣永樂宮純陽殿北壁東段。

畫面表現吕洞賓爲貧婦苟婆治盲眼的故事。

神化赴千道會

元

位于山西芮城縣永樂宮純陽殿西壁。

畫上榜題述畫中内容，講宋徽宗設千道會，命吕洞賓化土爲銀，吕氏從之，徽宗贊許。

度化趙相公

元

位于山西芮城縣永樂宮純陽殿西壁。

畫面表現呂洞賓賣草鞋度化趙相公的故事。

丹度莫敵

元

位于山西芮城縣永樂宫純陽殿西壁。

畫上榜題述畫中内容，講揚州老兵官莫敵，家居奉道，懺悔殺人之罪。吕洞賓引其到橋邊，果有冤魂聚來，吕洞賓一喝而皆散去，又授以丹，令莫敵服之。莫敵從此忘却前知，壽三百歲。

誕生咸陽

元

位于山西芮城縣永樂宫重陽殿東壁。

畫上榜題述畫中内容。畫面上方繪五色光衝天而起，雲際有神仙護送東華教主投胎，下部表現王重陽誕生後家人忙碌歡喜的情景。

永樂宫重陽殿殿内四壁及扇面墻背面繪壁畫，面積158.06平方米。

劉蔣焚庵

元

位于山西芮城縣永樂宫重陽殿東壁。

畫面表現王重陽南遷劉蔣村，一日將東游，遂焚其庵，并預言將有後人在此修道觀的故事。

嘆骷髏

元

位于山西芮城縣永樂宮重陽殿北壁。

畫面表現王重陽向弟子馬丹陽夫婦講解道義的故事。

却介官人

元

位于山西芮城縣永樂宮重陽殿西壁。

畫面表現登州人介官人仰慕王重陽，懇求入道，王重陽拒絶其請求的故事。

會別紇石烈

元

位于山西芮城縣永樂宫重陽殿西壁。畫面表現王重陽離開登郡時，太守紇石烈爲之餞行的情景。

牽馬

元

位于山西芮城縣永樂宫重陽殿西壁。爲“會别紇石烈”之局部。

玉女

元

位于山西芮城縣永樂宮重陽殿扇面墻背面東部。

高126、寬94厘米。

圖中玉女手執靈芝。

宮女

元

位于山西汾陽市五岳廟五岳殿東壁北部。

高169、寬127厘米。

圖中兩宮女一捧碗、一抱盒，作侍奉狀。

五岳廟元代建築建于大德七年（公元1303年）。

五岳出行

元

位于山西汾陽市五岳廟五岳殿東壁南部。

高231、寬173厘米。

唐封五岳神祇爲王，宋元封爲帝。圖中五帝分着五色服,乘五色馬出行。

水仙出行

元

位于山西汾陽市五岳廟水仙殿東壁中部。

高236、寬206厘米。

畫中主要人物爲水官和龍君，皆着帝王裝。

朝元圖（上圖）

元

位于陝西銅川市耀州區南庵四帝殿西壁。

高239、長517厘米。

圖中下部繪玉皇大帝、北極大帝和金母元君；圖上部繪星宿和各部諸神。

南斗六星君

元

位于陝西銅川市耀州區南庵四帝殿東壁。

高89、長138厘米。

圖中星君均戴高冠，身着道袍，手持笏板。

五佛五智大曼荼羅

公元14世紀

位于西藏日喀則市夏魯寺南配殿北壁。

高200、寬200厘米。

曼荼羅中心繪五佛和五佛母。方城四邊各伸出一極，代表四大洲。外圍繪一圓圈，表現鐵圍山。

夏魯寺爲藏傳佛教夏魯派的祖寺。

不動明王

公元14世紀

位于西藏日喀則市夏魯寺南配殿北壁西側下部。

圖中明王有紅色火焰形背光，頸部繫挂一蛇一索，右手高舉降魔劍，腰圍虎皮裙，跪立于蓮花座上。

妙音天女

公元14世紀

位于西藏日喀則市夏魯寺南配殿南壁東側下部。

高30、寬30厘米。

妙音天女也叫琵琶天女，是藏傳佛教中的智慧和文藝女神。圖中天女上身裸露，左手執琵琶，右手彈奏。

杰尊喜饒迥乃像

公元14世紀

位于西藏日喀則市夏魯寺北配殿西側。

高260、寬170厘米。

杰尊喜饒迥乃是夏魯寺的創建者。

阿彌陀佛

公元14世紀
位于西藏日喀則市夏魯寺北配殿北壁東側。
高285、寬170厘米。
圖中阿彌陀佛頭戴高冠，頸佩瓔珞，手結禪定印。

阿閦佛

公元14世紀

位于西藏日喀則市夏魯寺北配殿西側。

高285、寬170厘米。

圖中阿閦佛頭戴花冠，袒上身，下着裙，右手結觸地印。

四面八臂依怙尊

公元14世紀

位于西藏日喀則市夏魯寺北配殿北壁東側。

高265、寬185厘米。

尊像四面和身體均爲藍色，面呈忿怒相。左右主臂手結持國天印，右三臂手持箭、劍和金剛杵，左上臂手持弓，下二臂手部殘損，雙足踏魔鬼。

四臂觀音

公元14世紀

位于西藏日喀則市夏魯寺北外配殿南壁。

圖中觀音四臂，二手合十，另二手一持念珠，一持花枝。

禮佛圖

公元14世紀
位于西藏日喀則市夏魯寺第1層南迴廊南壁中部。
高120厘米。
畫面表現王公貴族的禮佛場景。圖中建築爲漢式建築。

龍尊王佛説法

公元14世紀

位于西藏日喀則市夏魯寺第1層西迴廊西壁北部。

高120、寬165厘米。

龍尊王佛身邊盤繞七條大蛇，形成佛的背光和頭光。佛雙手持鮮花于樹下説法。周圍表現民衆受佛之教化感應，生活富足，安居樂業。

供養天

公元14世紀
位于西藏日喀則市夏魯寺第2層前殿北迴廊南壁。
寬32厘米。
圖上部爲天女，袒身坐于蓮座；下部繪天神，作禮拜狀。

須摩提女緣品

公元14世紀

位于西藏日喀則市夏魯寺第2層前殿南迴廊南壁上層。高145厘米。

佛傳記載須摩提女爲佛教信徒，本不願嫁婆羅門教徒，但爲弘揚佛法而嫁至滿富城。釋迦佛遥感此事，遂率衆弟子浩浩蕩蕩赴滿富城講法。此圖即是他們飛行途中場景的局部。

羅漢

明

位于山西五臺縣佛光寺文殊殿北壁西部。

高190、寬163厘米。

此圖爲五百羅漢圖的一部分，羅漢神態和姿態各异。

佛光寺文殊殿明代壁畫繪于宣德五年（公元1430年）。

羅漢（上圖）

明

位于山西五臺縣佛光寺文殊殿北壁西部。

高203、寬304厘米。

此圖爲五百羅漢圖的一部分。

四菩薩

明

位于北京法海寺大雄寶殿西壁。

四菩薩坐于蓮臺，浮于雲端，姿態各异。

十方佛赴會圖（下圖）

明

位于北京法海寺大雄寶殿西壁。

高320、寬1100厘米。

圖中繪十方佛、六菩薩、四菩薩和飛天，像下繪山泉花卉。

法海寺由太監李童集資，于正統四年至八年（公元1439-1443年）建成，壁畫由工部營繕所畫士官和畫士所繪。

菩薩

明

位于北京法海寺大雄寶殿西壁。

此圖爲四菩薩之一。菩薩頭戴花冠，手持扇。

牡丹

明

位于北京法海寺大雄寶殿西壁。

圖中牡丹在十方佛下部。牡丹長于石上，石旁溪水潺潺。

飛天

明

位于北京法海寺大雄寶殿東壁。

圖中飛天雙手托花盤，雙足外露，騰雲駕霧。

十方佛

明

位于北京法海寺大雄寶殿西壁。

此圖與東壁的五佛合稱十方佛。五佛坐于蓮座，浮于雲端，手印或説法或禪定。

蓮花

明

位于北京法海寺大雄寶殿東壁。

蓮池邊圍有竹籬，池中蓮花朵朵。

菩薩

明

位于北京法海寺大雄寶殿東壁。

圖中菩薩坐于蓮花座上，左手捧蓮花，右手拇指食指相捻。

菩薩

明

位于北京法海寺大雄寶殿東壁。

圖中菩薩坐于蓮花寶座之上，左手托鉢，右手持柳枝。

帝釋梵天圖

明

位于北京法海寺大雄寶殿北壁東部。

高320、寬700厘米。

北壁東、西部壁畫組成“帝釋梵天圖”，繪二十諸天像，共繪人物二十六尊，人物高120-160厘米。此圖爲帝釋梵天圖東段部分。從左至右分别是大梵天、東方持國天、南方增長天、大自在天、功德天、日天、摩利支天、堅牢地天、韋馱天和娑羯羅龍王。

帝釋梵天圖

明

位于北京法海寺大雄寶殿北壁西部。

高320、寬700厘米。

此圖爲帝釋梵天圖西段部分。從左至右分別是閻摩羅王、金剛密迹、散脂大將、鬼子母、月天、辯才天、菩提樹天、西方廣目天、北方多聞天和帝釋天。

梵天像

明

位于北京法海寺大雄寶殿北壁東部。

高257、寬195厘米。

此圖在“帝釋梵天圖”東段部分最左側。圖中梵天作帝王形象，右手持紅蓮，左手于盤中取物。三侍女分别捧盤、持華蓋和持珊瑚。

持國天王

明

位于北京法海寺大雄寶殿北壁東部。

此圖在“帝釋梵天像”東段部分左側。天王着鎧甲，手彈琵琶。

韋馱天

明

位于北京法海寺大雄寶殿北壁東部。

此圖在“帝釋梵天圖”東段部分右側。韋馱天原爲婆羅門教天神，在佛教中爲護法神，爲四大天王手下三十二神將之首。圖中韋馱天少年英俊，雙手合十，臂架降魔杵。

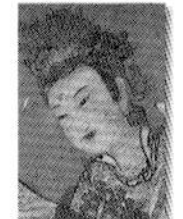

功德天

明

位于北京法海寺大雄寶殿北壁東部。

此圖在“帝釋梵天圖”東段部分中部。功德天又名吉祥天女，原爲婆羅門教的命運和財富之神，後皈依佛教成爲護法天神，漢化後作后妃相。

咒師

明

位于北京法海寺大雄寶殿北壁東部。此像在功德天像右側，爲功德天的侍從。老年胡人裝束，手把長柄香爐。

持鏡侍女

明

位于北京法海寺大雄寶殿北壁東部。此像在功德天像左側。侍女雙手持鏡侍立。

大自在天

明

位于北京法海寺大雄寶殿北壁東部。

此圖在“帝釋梵天圖”東段部分中部。大自在天在印度神話中爲毁滅之神，又是苦行和舞蹈之神。在佛教中爲鎮守東北方的護法神。圖中大自在天三目八臂，手中分别持鈴、金剛杵、矩尺等法器。前面持劍者爲增長天王。

摩利支天

明

位于北京法海寺大雄寶殿北壁東部。

此圖在“帝釋梵天圖”東段部分右側。摩利支天原爲印度神話中的光明之神，在佛教中爲護法天神。圖中摩利支天三面八臂，面部正面爲天女相，左面猪容，右面童女相。前二臂胸前合十，其餘六臂分别持針綫、弓、箭、絹索和樹枝等。足旁一野猪，代表摩利支天所乘猪車。

帝釋天像

明

位于北京法海寺大雄寶殿北壁西部。

高245、寬217厘米。

此圖在“帝釋梵天圖”西段部分最右側。帝釋天作帝后形象，三侍女分别捧山石、持華蓋和捧盤花。

廣目天王

明

位于北京法海寺大雄寶殿北壁西部。

高190厘米。

此圖在“帝釋梵天圖”西段部分右側。天王赤面，左手持珠，右手握金剛杵。

多聞天王

明

位于北京法海寺大雄寶殿北壁西部。

此圖在“帝釋梵天圖”西段部分右側。天王身着甲衣，左手托寶塔，右手持幡蓋。

菩提樹天

明

位于北京法海寺大雄寶殿北壁西部。

此圖在“帝釋梵天圖”西段部分中間。菩提樹天原爲印度神話中的地神，在佛教中爲護法神。圖中菩提樹天手持菩提樹。

辯才天

明

位于北京法海寺大雄寶殿北壁西部。

此圖在“帝釋梵天圖”西段部分中部。辯才天原爲印度神話中的智慧之神，又司音樂，故又名妙音天。圖中辯才天八臂，兩手于胸前合十，其餘六臂分別持刀、箭、斧、寶輪、弓和寶珠，足旁圍繞數獸，表現辯才天音美善歌，動物亦受其感染。

金剛密迹

明

位于北京法海寺大雄寶殿北壁西部。

此圖在“帝釋梵天圖”西段部分左側。金剛密迹上身袒露，左手持金剛降魔杵。

鬼子母

明

位于北京法海寺大雄寶殿北壁西部。

此圖在“帝釋梵天圖”西段部分左側。鬼子母右手持扇，左手撫小兒頭頂。

水月觀音

明

位于北京法海寺大雄寶殿扇面墻背面中部。

高450、寬450厘米。

水月觀音爲觀世音菩薩三十三種身像之一。圖中觀音袒上身，飾瓔珞，右側置寶瓶。

韋馱

明

位于北京法海寺大雄寶殿扇面墻背面中部，水月觀音右上部。

圖中韋馱面如童子，右手持金剛杵。

鸚鵡

明

位于北京法海寺大雄寶殿扇面墻背面中部，水月觀音左上部。

傳説鸚鵡爲了滿足母親的願望，不惜冒生命危險。觀音救了鸚鵡，并使它父母再生。鸚鵡感謝菩薩，于是留在了菩薩身邊。

金犼

明

位于北京法海寺大雄寶殿扇面墻背面中部,水月觀音右下部。

圖中金犼又名金毛犼，凶猛异常，是觀音菩薩的坐騎。

善財童子

明

位于北京法海寺大雄寶殿扇面墻背面中部，水月觀音左下部。

高150、寬120厘米。

善財童子爲觀音菩薩的脅侍。圖中善財童子雙手合十禮拜觀音。

普賢菩薩

明

位于北京法海寺大雄寶殿扇面墻背面西部。

高450厘米。

圖中菩薩頭戴花冠，身佩瓔珞，右手持蓮花。

普賢菩薩局部

最勝長者

明

位于北京法海寺大雄寶殿扇面墻背面西部，普賢菩薩左下部。

高167、寬125厘米。

圖中爲一中年長髯男子，雙手合十而立。

六牙白象

明

位于北京法海寺大雄寶殿扇面墻背面西部，普賢菩薩右下部。

白象爲普賢菩薩的坐騎，旁立一人爲馴象人。

獅子

明

位于北京法海寺大雄寶殿扇面墻背面東部，文殊菩薩左下部。

獅子是文殊菩薩的騎乘，旁立一人爲馴獅人。

月蓋老人

明

位于北京法海寺大雄寶殿扇面墻背面東部，文殊菩薩右下部。

高180、寬134厘米。

圖中月蓋老人右手持竹棍，搭手遠望。